Benita Cantieni

Tiger Feeling®

Benita Cantieni

Tiger Feeling®

Das sinnliche
Beckenbodentraining

Verlag Gesundheit

Im Verlag Gesundheit sind von
Benita Cantieni bereits erschienen:

Benita Cantieni: CANTIENICA® –
Das Powerprogramm
ISBN 3-333-01022-4

Benita Cantieni: CANTIENICA® –
Das Rückenprogramm
ISBN 3-333-01032-1

Benita Cantieni
Tiger Feeling® garantiert
ISBN 3-333-01058-5

Benita Cantieni: Faceforming®
Das Anti-Falten-Programm für Ihr Gesicht
ISBN 3-333-01013-5

Tiger Feeling® Video
ISBN 3-333-01031-3

Faceforming® Video
ISBN 3-333-01020-8

Die Deutsche Bibliothek – CIP-Einheitsaufnahme
Cantieni, Benita:
Tiger Feeling® : das sinnliche Beckenbodentraining / Benita
Cantieni. - Berlin : Verl. Gesundheit 2000
ISBN 3-333-01002-X

10. Auflage Februar 2000

© 2000 Econ Ullstein List Verlag GmbH & Co. KG, Berlin und München
Dieses Buch ist im Verlag Gesundheit erschienen.

Umschlaggestaltung: Klaus Meyer, Tabea Dietrich
Umschlagfoto: THE IMAGE BANK/Robert Faber
Abbildungen: Nike Schenkl
Produktion und Layout: VerlagsService Dr. Helmut Neuberger
& Karl Schaumann GmbH, Heimstetten
Druck und Bindung: Clausen & Bosse, Leck
Printed in Germany 2000
ISBN 3-333-01002-X

Gedruckt auf alterungsbeständigem Papier mit chlorfrei
gebleichtem Zellstoff

Inhalt

Ein muskuläres Meisterwerk 9

Die Entdeckung des großen Schatzes im Schritt 9
Der Schatz im Schritt 17
Wunder in drei Lagen 21
Hallo, Beckenboden, bitte melden 28
Zum Üben viel zu schade 31

Frauen entdecken ihren Beckenboden 32

Die Schöne 32
Françoises Kontaktübung 36
Gegen Françoises Hohlkreuz 37

Die Bescheidene 38
Judiths Anti-Migräne-Übung 41

Die Spirituelle 42
Lies-Anns Kontaktübung am Morgen 44
Lies-Anns Kontaktübung am Abend 45

Die Schwache 46
Barbaras Popolaufen 48

Die Unsichere 49
Isabellas Erdung 53

Die Frauliche 54
Margrits »Wonderbra« 56

Die Unabhängige 57
Gegen Christines Flachrücken 60

Die Gestählte 61
Gabriellas Beckenbodenmeditation 63
Zur Entspannung des Rückens 64

Die Schüchterne 65
Karins Kontaktübung 68
Karins Lieblingsübung für die Hüften 69

Die Sinnliche 70
Clarissas Allesdehner 73

Die Übungen 74

Phase 1 – Annäherungsversuche 75
Kontaktaufnahme 75
Die drei Schichten entdecken 76
Kontrollpunkte 80
Golden Gate Bridge 81
Cat Stretch 83

Phase 2 – Gespür entwickeln 84
Ein Hatschi dem Wohlsein 84
Fußmalen 86
Zehen-, Fersen-, Fußkantengang 88
Handgreiflich 89

Phase 3 – In den Alltag einbauen 91
Aktives Sitzen 91
Popolaufen 93

Treppensteigen mit Beckenboden 95
Fast Walking mit dem Beckenboden 97

Phase 4 – Des Rückens bester Freund 98
Beckenkreisen im Wasser 98
Kleine Kreise mit dem Beckenboden 99
Blinzelndes Schambein 100
Im Bett 101

Phase 5 – Feinarbeit 102
Augenrollen mit dem Beckenboden 102
Autofahren mit Beckenboden 103
Fahrradfahren mit Beckenboden 104
Langbeinschraube 105
Bauchübung mit Beckenboden 107

Phase 6 – Mehrwert des Alltags 109
Schlank gehen 109
In der Warteschlange 110
Liebesspiele 111

Wie war das in der Steinzeit? 113

Und was ist mit dem Männerboden? 115

Ausblick auf ein
neues Schönheitsideal 116

Für Christian Larsen

Ein muskuläres Meisterwerk

Die Entdeckung des großen Schatzes im Schritt

Es konnte sich nur um eine Strafe Gottes handeln: Ich hatte »die Beine meiner Mutter« geerbt. 43 Jahre lang lebte ich in der Überzeugung: Die Gene sind an allem schuld. An den voluminösen Oberschenkeln, am Wabbel-Po, an der Orangenhaut.

Die Zeit, die andere Frauen ihren Frisuren und Fingernägeln widmen, investierte ich unter meiner Gürtellinie. Am Morgen unter der Dusche die Spezialmassage mit Luffahandschuh und einer ganz speziellen Algenseife zum Entwässern und Entfetten. Anschließend Kaltwasserguß, Abtrocknen mit dem Turbofrottee für die Mikromassage hartnäckiger Polster, darüber kam das Gel zum Straffen und Regenerieren und zur Ankurbelung des Stoffwechsels. Die Strumpfhose versprach subkutane Massage und war entsprechend sündhaft teuer. Das Frühstück war ganz auf die Körpermitte abgestimmt, ich ernährte mich fettfrei und minikalorisch, Stil Radieschen auf Knäckebrot und Brennesseltee mit Ananasenzym.

Abends war die Knetmassage an der Reihe. Anschließend zehn Minuten Anti-Cellulitebad bei 37 Grad, mit dem Thermometer kontrolliert. Dann kam das Thermogel auf Schenkel und Po. Es bereitete die Haut und das Gewebe auf die anschließend verteilte Nachtcreme vor, die während des Schlafes die Schlacken und Schadstoffrückstände aus dem Bindegewebe ziehen sollte. Kaum war etwas Neues auf dem Markt, mußte ich es haben. Wenn die Versprechungen der Werbung nur wild genug waren, war ich bereitwillige Kundin. Fruchtsäuren, L-Carnitin, Algen, Meersalz, Vulkanschlamm, Collagen, Liposome, Pferdeserum, Efeuextrakt, Roßkastanienemulsion – meine Oberschenkel kennen alles. Mindestens zweimal im Jahr standen Kuren in der Preisklasse eines Gebrauchtwagens auf dem Programm – Thalassotherapie, Mesotherapie, Lymphdrainage, Thermowickel, Elektromikromassage und was der Späße mehr sind.

Gerne möchte ich behaupten, es seien die Freundinnen gewesen, die sich sogar Schwitzkästen und Saunahosen und Anti-Cellulite-Einlagesohlen für die Schuhe zulegten, die Elektrominischockgeräte kauften, Massageroller aus Gummi, Plastik, Holz. Aber das ist nicht wahr. Die Wahrheit ist: *Ich* kaufte jeden Quatsch, ließ auch in Sachen Massagen nichts unversucht.

Vermutlich habe ich im Laufe der Jahre ein kleines Einfamilienhaus in meine Schenkel investiert. Und nie hat mich ein Ehemann oder ein Liebhaber beim Traktieren der Kartoffelstampfer überrascht, so virtuos kaschierte ich meine Manie. Ich stahl mich klammheimlich im Morgengrauen ins Badezimmer und absolvierte die Prozeduren in hoffnungsvoller Verbissenheit.

Halt, das stimmt auch nicht ganz: Als ich eines Tages hundert Liter Flüssigkeit für Entschlackungswickel mit zwanzig Kilo Kühlschlamm, zur Vertiefung der Wirkung, plus zwanzig Riesenrollen Wickelgaze ins Haus geliefert bekam, da fragte der zeitweilige Ehemann, wofür das denn sei und wo ich den Plunder zu lagern gedächte. Beim nächsten Umzug wurde das Zeug dann auch prompt ungebraucht entsorgt.

Es soll Frauen geben, die mit ihren Männern oder Freundinnen zum Shopping gehen, die Spaß haben, miteinander Kleider anzuprobieren oder sie einander vorzuführen. Für mich unvorstellbar. Mich sah noch nicht einmal die Verkäuferin in den Dingern. Klamotten einkaufen war eine Tortur, der ich mich nur an ganz guten Tagen unterzog, wenn nichts, aber auch gar nichts mein Selbstwertgefühl unterlaufen konnte, nicht einmal meine Oberschenkel. Brauchte ich Hosen, so nahm ich vorsorglich zur Beruhigung Baldrian ein. Ich suchte die Geschäfte nach den Umkleidekabinen aus: Einzelkabinen, geräumig, blickdicht nach allen Seiten, lieblich und schlankmachend ausgeleuchtet.

Meist machte ich mich gleich an den Kleiderständern mit Größe 42 zu schaffen. Lieber die Hose umbauen, die Taille auf 36 einschnurren lassen, als zu erleben, wie die Oberschenkel die Nähte der Gehhose sprengten. Blazer waren immer hüftlang, Röcke schwangen weit, Hosen umspielten großzügig die

Beine, Blusen hatten Familienzeltformat, und vermutlich war ich die einzige, die sich in dieser Garderobe schlank sah.

Soll ich noch von den Diäten reden? Sie versprachen selbstredend allesamt, das Fett und die Pölsterchen genau da schmelzen zu lassen, wo sie mir im Weg waren.

Für kurze Zeit tröstete mich die Aussage einer Astrologin, mein Aszendent sei an allem schuld, der sei Schütze, und des Schützen Planeten sei der Jupiter, und dieser Jupiter sei ohnehin dominant in meinem Geburtshoroskop, und der stecke nun mal gern in Oberschenkeln und verursache dadurch ein gewisses Volumen. War irgendwie tröstlich, schließlich steht Meister Jupiter für wunderbare Charaktereigenschaften wie Weitsicht, Vielseitigkeit, Gerechtigkeit. Aber lange dauerte der Jupiterfriede nicht, genausowenig wie der Erfolg irgendwelcher Radikalkuren. Hungern, Hormonspritzen, heiße Wickel – nichts half.

Und so haßte ich meine Beine! Und den Po gleich mit!

Der schöne Busen? Mit dem verhielt es sich ganz anders. Der war selbstverständlich mein Verdienst. Ich kann mich jedenfalls nicht daran erinnern, den Genen oder der Mutter je für die hübschen kleinen Dinger gedankt zu haben. Oder für den zuverlässig flachen, straffen Bauch, der jenseits aller Jahresringe seine Jugendlichkeit bewahrt.

Aber wie oft habe ich das ungeliebte Erbe um die Hüften verflucht! Und dann kam jener unvergeßliche Tag.

Ich hatte eine Gymnastik gefunden, die mir zusagte – die Original-CALLANE-TICS®-Methode. Präzise Positionen, mikroskopisch kleine Bewegungen mit möglichst vielen Wiederholungen – das Prinzip funktionierte. Mein kaputter Rücken – Skoliose, Scheuermann'sche Krankheit, angebrochenes und verschobenes Kreuzbein – schmerzte nicht mehr ununterbrochen. Auch das arthritische Hüftgelenk schien besser im Muskelkostüm zu hängen.

Ich kam ganz gut durch die Tage und über die Runden. Nur auf langen Wanderungen meldeten sich die Beschwerden zurück. Bergab gehen war nach wie vor eine Tortur. Und das geliebte Durchstreifen fremder Städte zu Fuß mußte ich in kleine Dosen aufteilen.

Der Bauch wurde durch das CALLANETICS®-Training noch flacher, die Brüste blieben straff, Schenkel und Po entwickelten Kraft. Beweglich war ich auch. Die Form – sie verbesserte sich nur wenig. Aber sie verschlimmerte sich wenigstens nicht mehr zusehends. Ich gab mich damit zufrieden, war bereit, mich mit dem Erbe abzufinden, um so mehr, als mir nicht einmal der Schönheitschirurg Hoffnungen machen wollte und mir von der Operation abriet, weil die Operationsnarben womöglich noch mehr ins Gewicht fallen würden als die Fettpakete.

Inzwischen war ich Master Teacher der CALLANETICS®-Methode. Ich bildete Lehrerinnen aus, gab Privatunterricht – und drückte mich, wo ich nur konnte, um nicht im Trainingsbody vor den Leuten stehen zu müssen.

Dann kam jener Tag im Frühling 1994. Ich arbeitete mit einem Arzt, der sich auf Körperkoordination spezialisiert hatte.

Ich besah mein unförmiges Hinterteil im Spiegel und stöhnte: »Die Gene!« Er besah mein unförmiges Hinterteil ebenfalls, am Boden sitzend, frontal, und aus seiner Perspektive mußte ich entsetzlich aussehen.

»Typischer Fall von Imitation, oder?«, fragte er knapp zurück und durchwühlte beidhändig meinen Reithosenspeck auf der Suche nach einer Form.

Imitation, Nachahmung. Das Wort fiel mich wie ein Keulenschlag an. Klar, das war's. Meine Mutter ging ihrer Lebtag im Hohlkreuz. Solange ich mich erinnern kann, trug sie Schuhe mit Absätzen. Im Haus waren es Korksohlen in Keilform, sieben Zentimeter hoch. Tagein, tagaus. Sommer und Winter. Selbst die Wanderschuhe hatten einen Keilabsatz. Vermutlich fühlte sie sich größer in den Tretern. Vielleicht hatte die Schuhverkäuferin gesagt, der Schuh mache »ein schlankes Bein«. Jedenfalls gehörten sie zusammen, Mutter, Hohlkreuz und Keilabsatz. Im vorgerückten Alter wurden die Absätze etwas niedriger, aber Mutter trägt auch in ihren Siebzigern noch Keilsohlen. Der Fuß ist entsprechend gesenkt und gespreizt, aber Mutter hat Würde und Haltung, nie habe ich sie über Schmerzen klagen hören.

Solange ich mich erinnern kann, schrubbte Mutter zweimal täglich an Oberschenkeln und Gesäß herum. »Trockenbürsten« nannte sie die rituelle Handlung. In kleinen Kreisen bürstete sie mit rabiater Inbrunst schenkelrauf, schenkelrunter, cremte und knetete und drückte und zog an ihrem Fleisch herum. Eine sichtbare Verschönerung trat nicht ein, und ich stellte mir vor, ohne Bürstenmassage sähen ihre Beine einfach noch schlimmer aus.

Ich schrubbte auch. Schrubbte, bis die Äderchen platzten. Ob ich wollte oder nicht – Mutter war mein Vorbild. Ich ging wie Mutter. Stand wie Mutter. Saß wie Mutter.

»Wenn das stimmte«, sagte ich zum Therapeuten, »so müßte ich ja nur meine Gewohnheit, sprich Haltung, ändern, und meine Beine verändern sich dadurch ebenfalls.« Ungläubiger Trotz schwang in meiner Stimme.

»So ist es«, sagte er, »leg dich auf den Rücken, Beine angewinkelt.« Dann murmelte er irgendwas von einem Beckenboden, eine eigenartige Sache, ich hatte schon ein paarmal darüber gelesen, über diesen Beckenboden, hatte irgendwas mit einem Pubococcygeus zu tun. Dieser Schwangerschaftsturntrick mit Anhalten beim Wasserlassen und so, das war doch keine Sache. Ich hatte da noch ganz andere Tricks drauf.

Der Arzt grub mir Daumen und Mittelfinger seiner rechten Hand tief in die Gesäßbacken. Wenigstens sah er mich dabei nicht an. Ich war puterrot angelaufen. Schließlich stieß er auf Knochen. Meine Sitzknochen.

»Spann an, ziehe meine Finger zusammen«, wies er mich an.

Was soll ich? Sitzknochen zusammenziehen? Wie denn!

Mit der Geduld eines Heiligen wiederholte er die Aufforderung. Wiederholte sie. Immer und immer wieder.

»Stell dir vor, du ziehst meine Finger einfach zusammen.«

Ich schloß die Augen und suchte zwischen den fremden Fingern irgendwo eine Mitte an meinem Körper. Und siehe da. Plötzlich regten sich Muskeln. Eigentlich war es eher ein Zucken, aber es war da. Das Zucken wuchs, und nach etwa zwei Stunden wußte ich, wovon er sprach.

Vom Beckenboden. Einem Verbund von Muskeln, handtellerdick, handtellergroß, der sich vom Schambein zum Steißbein erstreckt, von Sitzknochen zu Sitzknochen.

Nach weiteren zwei Stunden fühlten sich meine Beine anders an, leichter, länger. Das Gesäß schien leichter, angehoben. Und was in meinem Kreuz passierte, das war einfach unglaublich. Ich konnte mit den Händen ertasten, spüren, fühlen, wie sich die Beckenschaufeln auf dem Rücken zur Seite hin verschoben, wenn ich den Beckenboden anspannte. Dazwischen traten die Wirbel offener und weiter hervor. Die Hüftgelenke standen enger beisammen, die Hüften wirkten schmaler.

Und die Schmerzen waren weg. Weg das diffuse, dumpfe Gefühl im unteren Rücken. Weg der schneidende Schmerz im rechten arthritischen Hüftgelenk. Weg das Stechen im Darm, das von der Verletzung des Kreuzbeines herrührte und sich anfühlte, als drücke von hinten ein Stachel hinein.

Weg. Einfach weg.

Dafür begannen die Muskeln zwischen den Beinen zu schmerzen. Als ich schließlich nach Hause fuhr, konnte ich das Gaspedal fast nicht bedienen.

Ich ließ ein sehr heißes Bad in die Wanne laufen, schüttete vorsorglich eine Dreifachdosis Zusatz gegen Muskelkater rein und ging danach sofort zu Bett.

Mein Körper schüttelte sich. Schüttelte und schüttelte und schüttelte sich. Mal liefen mir lustvolle Schauer über meinen Rücken, mal waren es eher Schmerzen. Ich weiß nicht, wie lange das so ging, schließlich mündete das Schütteln in eine Vibration, anfangs heftig, allmählich immer sanfter, irgendwann schlief ich ein.

Am nächsten Morgen erwachte ich mit dem Muskelkater meines Lebens. Ich konnte mich nicht rühren. Die Beine gehorchten meinen Befehlen nicht. Also zog ich, aus Notwehr sozusagen, den wunden Beckenboden bewußt zusammen. Und siehe da – die Beine bewegten sich ganz leicht aus dem Bett. Auch der Rücken war leicht, der Hals. Nichts von Bettstarre. Nichts von der Kartoffelsackschwere, wie ich sie seit meiner frühen Kindheit kannte.

Da hatte ich es zum erstenmal, das Gefühl, nach dem ich mich 43 Jahre gesehnt hatte. Ich nannte es »Tiger Feeling«.

Dieses Gefühl wollte ich nie mehr verlieren.

Ich gab mir genau drei Tage Zeit, den Gebrauch des Beckenbodens in meinen Alltag zu integrieren. Ich machte »Beckenboden« zu meinem Mantra, legte einen Zettel neben das Bett, da stand Beckenboden drauf, ich klebte einen Merkzettel an den Badezimmerspiegel, einen an den Kühlschrank, einen ans Armaturenbrett, schrieb »Beckenboden« in die Agenda, sprach mir das Wort auf den Anrufbeantworter, schrieb es in und auf den Computer, vermutlich meldete ich mich am Telefon mit »Beckenboden«, statt mit meinem Namen.

Am dritten Tag spürte ich, wie er mich trug. Ich hatte zwischen Scheitel und Sohle ein Zwischenstockwerk eingezogen. Der Torso hing nicht mehr schwer in den Beinen, nein, er schwebte, getragen vom Beckenboden, solide unterlegt. Die Schultern fühlten sich leichter an, der Kopf schwebte plötzlich erhaben, die Wirbelsäule fühlte sich länger an, leichter, gedehnt.

Die Beine bewegten sich wie von selbst, die Füße fühlten sich ganz anders an. Und beim Gehen war mir, als würde mein Gesäß von unsichtbaren Händen angehoben. In diesem Augenblick wurde mir klar: Es ist nicht die Schwerkraft, die uns klein macht. Wir machen das selbst. Weil wir unseren Körper nicht mehr einzusetzen wissen.

Für den koordinierten Körper ist die Schwerkraft eine Verbündete und eine Lehrerin. Begegnen wir ihr mit Spannkraft, so sind wir Freunde. Wer seinen Körper gut zu gebrauchen weiß, setzt die Schwerkraft als Unterstützung ein.

Mein Körper hat das vermeintliche genetische Programm überwunden. Zwar habe ich auch jetzt nicht die Beine der jungen Bardot, aber der Verfall ist gestoppt. Ich spüre den natürlichen Verlauf der Muskeln. Wo vorher Fett wabbelte, ist jetzt eine Form. Der Po hat sich fünf Zentimeter gehoben. Die Orangenhaut ist so gut wie weg. Ist zwar ganz und gar unwichtig im großen Weltzusammenhang, aber eine schöne Nebenerscheinung. Seit kurzem kann ich die drei Schichten des Beckenbodens bewußt isolieren und unabhängig voneinander anspannen und entspannen. Wir sind ein eingespieltes Team, mein Beckenboden und ich, so märchenhaft es klingen mag: Ich habe meine Wirbelsäulenverkrümmung durch die Aktivierung meines Beckenbodens weitgehend begradigt.

Freunde fragen: Bist du gewachsen? Hast du ein Facelifting gemacht? Warum wirkst du immer jünger?

So, genug von mir erzählt. Jetzt ist es an Ihnen. Erobern Sie Ihren Beckenboden zurück. Das »Tiger Feeling« gibt's als Zugabe: Jenen Grundtonus im Körper, den wir an Kindern und Athleten und an Katzen so bewundern. Jene Leichtigkeit in den Bewegungen, die wir mit der Jugend verloren glaubten. Jene Geschmeidigkeit, die wir an sogenannten Naturvölkern bewundern. Jene Freude am körperlichen Sein und an der Bewegung, nach der wir uns all die Jahre sehnten – und die doch eigentlich unser Geburtsrecht ist!

Der Schatz im Schritt

Auf supermodernen CD-ROMs über Anatomie, raffiniert animiert, kann der Interessierte Adam und Eva in allen möglichen Hautfarben und mit euripiden und asiatischen Gesichtszügen vom Feigenblatt bis auf das Skelett strippen. Er kann jedes Äderchen erforschen, den Weg des Essens vom Mund bis zum Anus verfolgen, das Herz in seine Bestandteile zerlegen – doch der Beckenboden existiert nicht. Ist einfach nicht vorhanden.

Große, aufwendig gestaltete Anatomielexika ignorieren die Muskelgruppe. Kein Wunder, daß der Biologieunterricht den muskulären Schritt unterschlägt. Sogar im Anatomie- und Physiologieunterricht für angehende Mediziner, Physiotherapeuten und Hebammen wird der Beckenboden – bildlich gesprochen – oft nur am Rand gestreift.

Dabei ist die handtellerdicke Matte eine der wichtigsten Muskelgruppen des ganzen Körpers. Ein wohltrainierter, täglich aktiver Beckenboden kann Blasen- und Gebärmuttersenkungen verhindern oder lindern, Inkontinenz von Harn und Stuhl verhindern oder lindern, Hämorrhoiden und die Begleitbeschwerden verhindern oder lindern. Und der Lustgewinn beim Sex übersteigt alles, was Tao, Tantra, Kamasutra und ihresgleichen zu versprechen pflegen.

Die Bedeutung des Beckenbodens für den Rücken ist enorm: In 95 von 100 Fällen verschwinden diffuse »Kreuzschmerzen« durch gezieltes Beckenbodentraining. Schnell und nachhaltig. Der Grund ist einfach: Die innerste Schicht des Beckenbodens zieht die ganze untere Beckenöffnung zusammen. Dadurch öffnet sich der obere Rand des Beckens, das Becken wird weiter, wie ein Trichter. Im Kreuz öffnen sich die Beckenkämme, schaffen mehr Raum für die Kreuzbeine, die Lendenwirbel und das Steißbein.

Gleichzeitig werden die Hüftgelenke zusammengezogen. Eine Wohltat für alle Menschen, die unter Arthrose leiden. Die Entlastung ist sofort spürbar. Das klingt unglaublich, ich weiß, Sie können es aber nachprüfen – am eigenen Leib.

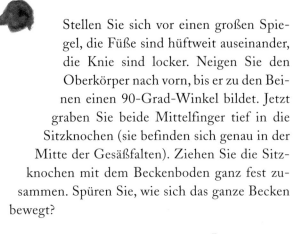

Stellen Sie sich vor einen großen Spiegel, die Füße sind hüftweit auseinander, die Knie sind locker. Neigen Sie den Oberkörper nach vorn, bis er zu den Beinen einen 90-Grad-Winkel bildet. Jetzt graben Sie beide Mittelfinger tief in die Sitzknochen (sie befinden sich genau in der Mitte der Gesäßfalten). Ziehen Sie die Sitzknochen mit dem Beckenboden ganz fest zusammen. Spüren Sie, wie sich das ganze Becken bewegt?

Sobald Sie mit Ihrem Beckenboden einigermaßen vertraut sind, können Sie im Stehen die Finger ganz zart auf die Hüftgelenke legen und erfühlen, wie sie sich bewegen. Beim Zusammenziehen werden die Hüften sichtbar, spürbar schmaler.

Oder Sie können einen Mittelfinger an die Haargrenze des Venushügels halten, genau in die Mitte. Der andere Finger kommt im Rücken auf den Ansatz des Steißbeins. Jetzt ziehen Sie den Beckenboden zusammen. Unter den beiden Fingern zieht es, als würde die Haut aufgespannt.

Sie spüren nichts? Macht nichts, Sie haben den Gebrauch Ihres Schatzes im Schritt nicht an einem Tag verlernt, also brauchen Sie vielleicht drei Tage oder drei Wochen, um ihn wiederzufinden. Kein Problem, Sie werden ihn zurückerobern. Und dann werden Sie sich wundern, wie Ihnen dieses wunderbare körperliche Phänomen abhanden kommen konnte.

Die häufigsten Gründe für das Verschwinden des Tiger Feelings: Dammschnitt beim Gebären; ein Kaiserschnitt durchtrennt ebenso radikal die Muskulatur. Vielleicht wuchsen Sie in einer körper- und lustfeindlichen Familie auf und übernahmen unbewußt deren Verhaltensmuster. Wenn in Ihrer Familie alles jenseits des Nabels als unschicklich galt, ist es kein Wunder, wenn sich der Beckenboden sozusagen dem Fühlbereich entzog.

Beim Schulsport haben Sie vermutlich auch nie etwas vom Beckenboden gehört. Und so verlernen wir das Tigergefühl meist schon in jungen Jahren. Wenn Sie beim Sonntagsspaziergang mal scharf beobachten: Viele Kinder bewegen sich schon mit sieben, acht Jahren wie ihre Vorbilder, die Mädchen wie die Mutter, hohlkreuzig, mit vorgeschobenem Kinn und plattem Fuß, die Söhne wie die Väter, Brust raus, Knie durchgedrückt, mit entschlossenem Fersengang.

»Bei Vierfüßlern wird das Eingeweidepaket von der Bauchwand wie von einer Hängematte getragen, der Beckenboden nach innen gezogen«, heißt es in einem angesehenen und unter Fachleuten weitverbreiteten Anatomieatlas.[1] »Beim aufrechten Gang des Menschen dagegen lasten die Eingeweide auf dem Beckenboden. Erhöhung des intraabdominalen Drucks (Husten, Pressen), Erschlaffung der Bauchdecke und Verminderung der Lungeneinwirkung im Alter führen zu stärkerer Belastung des Beckenbodens. Der Verschluß des Beckenbodens muß dieser Belastung standhalten, gleichzeitig aber die Öffnungen der Eingeweideausgänge ermöglichen. Dabei entsteht die Gefahr, daß

---

[1] Taschenatlas der Anatomie, für Studium und Praxis, Bd. 2, S. 312, 6. überarbeitete Auflage, 1991. Thieme Verlag, Stuttgart/New York, Deutscher Taschenbuchverlag.

der Binnendruck die Beckenorgane durch die besonderen Öffnungen treibt (Prolaps, Vorfall, einzelner Organe bei Insuffizienz des Beckenbodens).« Da werden wir Zweibeiner einmal mehr zu Irrläufern der Evolution abgestempelt. Auf die naheliegende Idee, es könnte sich mit dieser Muskelgruppe verhalten wie bei allen anderen auch, kamen die Verfasser nicht: Trainiert erfüllt der Beckenboden seine Aufgabe mühelos, untrainiert sackt er ab. So einfach ist das.

Und deshalb haben Ärzte fürs Beckenbodentraining auch heute noch oft nur ein müdes Lächeln übrig und überlassen den wichtigsten Zwischenboden im Hochhaus Mensch bestenfalls den Hebammen und dem lokalen Turnverein für die Sparten Schwangerschafts- oder Rückbildungsgymnastik.

Wunder in drei Lagen

Vermutlich ist die Menschheit in zwei Kategorien zu teilen: Die eine braucht den Beckenboden natürlich und selbstverständlich, die andere leidet an einer chronischen Kontaktsperre, der Beckenboden mutiert zum blinden Fleck am Körper.

In der stammesgeschichtlichen Entwicklung ist die Entscheidung, aufrecht zu gehen, die jüngste große Errungenschaft des Menschen. Dieser Quantensprung ist noch nicht im ältesten Teil des Gehirns, dem Stammhirn, verankert, sondern – ich wage die Vermutung – im Neocortex, einem jungen Teil der Großhirnrinde. Hier sind auch die Funktionen des Beckenbodens gespeichert und müssen via Willen zur Hauptstation des Nervennetzwerkes, dem Hirnstamm, geschickt werden. Das erklärt, warum er sich dem unwillkürlichen Gebrauch so leicht wieder entzieht. Im Gegensatz etwa zu der Muskulatur der Hand, die beim gesunden Menschen ein Leben lang ihre Dienste tut, ohne daß wir diese bewußt abrufen müssen. Erst sehr feine Handmuskelspiele, wie sie ein Pianist oder ein Bogenschütze braucht, müssen bewußt trainiert werden.

Der Beweis für diese kühn anmutende Theorie ist empirisch leicht zu erbringen: Wäre die Muskelarbeit des Beckenbodens im Stammhirn in der »Abteilung Reflexe« verankert, kämen alle Kinder stubenrein zur Welt, und die Pampers wären nie erfunden worden. Reflexe wie Greifen, Stoßen, Strampeln beherrscht schon der Embryo im Mutterleib. Wenn das Kind zur Welt kommt, sind diese Reflexe fest im Repertoire: Halten Sie einem zwei Stunden alten Baby einen Finger hin – es greift zu. Mit der Mutterbrust weiß es sofort das Richtige anzufangen, die Muskulatur des Gaumens und des Mundes kennt die Gebrauchsanweisung. Der Beckenboden hingegen regt sich erst, wenn das Kind sich auf die Beine stellt. Jetzt erst kann es auf das Töpfchen gesetzt werden, jetzt erst »erinnern« sich die Schließ- und Beckenbodenmuskeln an ihre edlen Aufgaben und machen sich langsam, langsam daran, sie auch bewußt wahrzunehmen – unter der strengen Kontrolle der Erziehenden. Auf dem Spielplatz oder nachts im Bettchen macht das Bewußtsein Pause und der Beckenboden noch eine ganze Weile, was er will.

Wenn ein Kind in der Überzeugung aufwächst, die Muskeln »da unten« seien nur für die artgerechte Verrichtung kleiner und großer Geschäfte zuständig, entdeckt es nie die Kraft und Stärke, die es aus seiner Mitte ziehen könnte. Wahrscheinlich verliert sich so ein halbentdeckter Beckenboden im Laufe der Kindheit auch ganz leicht wieder.

Andererseits gibt es ein paar glückliche Naturen, deren evolutionärer Mikrochip einfach funktioniert, die den Beckenboden zur vollen Leistungsfähigkeit entwickeln – und ein Leben lang selbstverständlich einsetzen. Spitzensport ist ohne Mithilfe dieser wichtigen Muskelgruppe gar nicht möglich, weder in der Leichtathletik noch bei Tennis, Golf, Polo. Sänger und Schauspieler trainieren in der Ausbildung, die Stimme aus dem Schritt zu holen, sie geben dem Beckenboden allerlei anschauliche Bezeichnungen – Trampolin, zweites Zwerchfell, Tonboden. Herausragende Stimmen haben ihn einfach, diesen Tonboden. Das gilt für Gianna Nannini genau so wie für Placido Domingo. Sensible Atemtherapeuten arbeiten ebenfalls mit der Basis des Körpers. Die meisten reden allerdings von etwas, das sie selbst gar nicht kennen, weil ihnen niemand beigebracht hat, wie sie den Beckenboden einsetzen und nutzen. Wenn ein ahnungsloser Therapeut einem ahnungslosen Therapiesuchenden nur vage Andeutungen machen kann, die er selbst nur aus Büchern oder vom Hörensagen kennt, so wird aus der Therapie nichts. Wer keine Ahnung hat, welche Stütze des Korsetts, welch wunderbare Versicherung gegen die niederdrückenden Kräfte der Schwerkraft am unteren Becken brachliegen, profitiert von der besten Methode nur wenig. Wahrscheinlich brechen Hunderttausende Hilfesuchender Therapien in Reihe ab, fühlen sich zu dumm, zu alt oder sonst ungenügend, und das bloß, weil ihnen niemand verständlich und nachhaltig beibringt, wie sie die Spur zum Beckenboden wieder aufnehmen können.

Die Mehrheit der Menschen in unseren Breitengraden imitiert die Vorbilder. Haben Vater und Mutter den Beckenboden aus dem Bewußtsein verloren, so bleiben auch die Kinder evolutionär unterentwickelt, ihr Körper, dieser Hochleistungsapparat, dieses Meisterwerk der Schöpfung, dieses Präzisionsinstrument und Bewegungswunder wird ein Leben lang auf halber Kraft laufen.

Männer nehmen Bandscheibenschäden, Leistenbrüche, Bauchwandhernien, Hämorrhoiden, Knieprobleme und Prostatavergrößerung als gottgegebene Strafen im Alter hin. Frauen akzeptieren chronische Kreuzschmerzen, Inkontinenz, Gebärmutter- und Blasensenkungen als typische Krankheiten, sie nehmen Orgasmusschwierigkeiten, sexuelle Unlust und vorzeitige Erschlaffung des Gewebes und der Muskulatur resigniert hin. Weil so viele am gleichen leiden, wird es wohl so sein müssen. Schließlich gibt es auch für jede Krankheit Spezialisten, und so geben wir unsere Autorität an Autoritäten ab, wird schon alles seine Richtigkeit haben, liegt wohl einfach in der Natur. Ab und an begegnet ein Esoteriker unterwegs zu alternativen Lebensformen in der indischen Chakrenlehre der Kundalinikraft oder der Lebenskraft Prana. Bei den Chinesen heißt die Energie Ch'i. Keltische Überlieferungen berichten von einer Kraft aus der Mitte, die mittels spezieller Runenübungen potenziert werden kann. Der nichtfindende Suchende verweist all das in das Reich der Mythen und Legenden und siedelt zwischen den Beinen allenfalls die nackte Sexualität an.

Es gibt auch soziokulturelle Gründe für den Kontaktverlust zum Beckenboden. Haltung und Aussehen sind den Launen der Mode unterworfen. Das Hohlkreuz etwa gilt als weiblich und sexy und ist eine Reminiszenz an noch frauenfeindlichere Tage. Werfen Sie sich in nacktem Zustand mal so richtig schön ins Hohlkreuz und schauen Sie nach unten: die Dame ohne Unterleib. Das Becken brutal verbogen, das Rückgrat zur Instabilität verdammt, das Schambein – Schambein! – keusch dem Blickfeld entzogen. Der Kopf fällt in dieser Pose meistens fast automatisch nach hinten, und das Kinn ringt auf verlorenem Posten um Haltung und Gleichgewicht. Ziehen Sie auch noch Stöckelschuhe an, so wird die Verkrüppelung noch augenfälliger. Als wären wir immer noch unterwegs zum aufrechten Gang, während die Männer längst am Ziel angekommen sind. Der Beckenboden ist in dieser Haltung nicht funktionstüchtig.

In sehr vielen Kulturen wurden die Füße der Frauen mit einem Schönheitsbann belegt – und dadurch die ganze Frau sexuell entmachtet. Denken Sie an die verkrüppelten Füße der Chinesinnen. In Indien stolzierten die Edelfrauen in fußfeindlichen Schühlein daher. Die italienische Nobeldonna quälte sich auf eckigen, vollkommen steifen Holzplateaus durch die Welt. Auch die vornehme Japanerin hatte sich durch einen kleinen Fuß auszuzeichnen und auf unmöglichem Schuhwerk und im schritthemmenden Kimono durchs Leben zu trippeln. Und in den spitzen Stoffpantöffelchen des Mittelalters konnten auch unsere Ahnfrauen keine großen Sprünge machen. In sehr vielen Kulturen wurden Frauenfüße bandagiert, mumifiziert, malträtiert. Der Stöckelschuh unserer Zeit ist das gleiche Folterinstrument. In vielen Märchen unserer westlichen Kultur haben brave Mädchen kleine Füße, die in gläserne Pantöffelchen passen müssen. Zur Belohnung findet sie der Prinz (zum Beispiel »Aschenbrödel«). Böse Mädchen dagegen tragen Schuhe, die ihnen passen und womöglich noch sündig und rot sind, und tanzen darin – bis sie selbstverständlich der Teufel holt (»Die roten Schuhe«). Männer dagegen konnten gar nicht auf zu großem Fuß leben, weder im Märchen (Siebenmeilenstiefel) noch im Alltag. Schnabelschuhe, Stiefel mit riesigen Schäften und allerlei Zierat vergrößerten den Männerfuß optisch.

Ich vermute zwischen dem bewußten Verkrüppeln der Füße und der Unterentwicklung des Beckenbodens der Frau einen direkten Zusammenhang: Wenn Frauen hochhackige Schuhe tragen, fällt es ihnen sehr viel schwerer, den Beckenboden beim Stehen, Gehen, Tanzen einzusetzen. Und eine Frau mit kraftlosem Beckenboden ist sexuell verfügbarer als eine, die mit Muskelkraft und Kraftbewußtsein beim Geschlechtsakt auf den Mann reagieren kann, die sein Tempo, seine Bewegungen mit dem Beckenboden steuern kann. Wenn Sie nach drei, vier Monaten regelmäßigem Training der Beckenbodenmuskulatur die Kraft aus Ihrem Schritt zu spüren beginnen, werden Sie wissen, wovon ich schreibe. Einige Übungen in diesem Buch schließen die Füße mit ein. Erleben Sie den Zusammenhang zwischen Fuß und Beckenmuskeln! Und Sie wären nicht die erste Frau, die sich neue, flache, bequeme Schuhe anschafft, weil Sie sich darin wohl und powervoll fühlen – aus einem Instinkt heraus, der sich nicht um intellektuelle Abhandlungen über Kulturen und Historie schert.

Also: Ein neues Schönheitsideal muß her, das Schönheitsideal mit dem Tigergefühl.

Die bewußte Auseinandersetzung mit dem Powerpaket im Schritt ist der kürzeste Weg zum Tiger Feeling. Der Beckenboden ist dreilagig und handtellerdick, mit längs und quer verlaufenden Muskelfasern, die sich am Damm zu einem starken Fadenkreuz verdichten.

Die unterste Schicht schlingt sich netzartig um die Schließmuskeln – Harnröhre, Vagina, Anus, am Damm laufen die Muskeln übers Kreuz. Viele Frauen haben diese Schicht relativ gut trainiert. Wenn Sie beim Wasserlassen den Strahl anhalten, aktivieren Sie die Schließmuskulatur.

Eine kleine Übung zum Kennenlernen der Außenschicht: Husten. Da, wo die Luft aus dem Körper zu drängen scheint, genau am Damm, ziehen Sie die Luft in umgekehrter Richtung in den Körper hinein. Dehnen Sie die Kontraktion aus – bis über den Anus zum Steißbein. Den Zug, den Sie so verursachen, können Sie spüren, wenn Sie je einen Finger ganz zart auf Scham- und Steißbein halten.

Ganz einfach? Wunderbar, Sie haben die erste Schicht erobert.

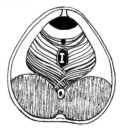

Wie ein Trampolin spannt sich die mittlere Lage zwischen den Oberschenkelgelenken und dem Schambein. Diese eigentliche Muskelplatte ist quergefasert. Husten Sie wieder und saugen Sie den Damm sofort in den Körper. Dehnen Sie das Gefühl sternförmig aus. Legen Sie die Finger links und rechts leicht auf die Hüftgelenke. Spüren Sie einen kleinen Zug zwischen den Fingern? Beckenbodenschicht zwei ist aktiviert. Je mehr Sie trainieren, um so schneller werden Sie spüren, wie sich die Muskulatur der Innenschenkel hebt: Durch den Zug, den ein kräftiger Beckenboden verursacht, wird die Muskulatur der Oberschenkel »aufgehängt«, dadurch erhalten die Beine mehr Tonus. Sehen Sie sich Spitzensportler an. Sie benutzen ihren Beckenboden so automatisch wie wir die Augenlider. Dieses konstante Aufspannen der Muskulatur formt die Beine sehnig, lang, schlank.

Die Muskulatur der hinteren Oberschenkel wird durch die dritte, innerste Schicht gestrafft. Selbst hartnäckige Cellulite verbessert sich mit etwas Geduld. Was tausend Therapien versprechen – der Beckenboden schafft's, als willkommene Nebenwirkung sozusagen.

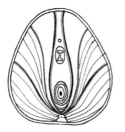

Wie ein sechsteiliger Fächer entfaltet sich die innerste Schicht. Die Muskellagen verstreben das Steißbein mit den Oberschenkelknochen.

Wenn diese Schicht in Aktion ist, so können Sie das gar sehen: Stellen Sie sich vor einen großen Spiegel, spannen Sie die innerste Schicht des Beckenbodens an. Ihre Hüften verschmälern sich augenfällig. Die dritte und größte Schicht, der eigentliche Boden, zieht die Hüftgelenke und die Sitzknochen zusammen, zieht die Oberschenkelmuskulatur hoch und strafft die Basis der Gesäßmuskulatur.

Klingt unglaublich, ist aber ganz leicht nachzuprüfen. Am leichtesten geht's auf einem Gymnastikball. Ein Meditationskissen oder einfach ein nicht zu weiches Sitzkissen tut's auch.

Setzen Sie sich, schieben Sie die Finger unter das Gesäß direkt an die Sitzknochen. Spannen Sie den Beckenboden an. Wenn Sie fühlen, wie sich die Sitzknochen aufeinander zubewegen, so haben Sie die innerste Ebene voll im Griff.

Es ist wichtig, daß Sie sich von Anfang an auf ein Bodengefühl konzentrieren. Viele Frauen absolvieren jahrelang brav die sogenannten PC-Übungen (abgeleitet von der medizinischen Bezeichnung Musculus pubococcygeus) oder, nach amerikanischem Muster, die Kegel-Übungen – und stimulieren damit lediglich den Schließmuskel der Vagina. Auf der Suche nach dem Mehrwert der Übungen stellt sich ein Röhrengefühl ein, dehnt sich das Training auf die Vagina aus. Das kann kontraproduktiv sein. Eine übertrainierte Scheide kann beim Geschlechtsverkehr Schmerzen verursachen, kann das Gebären sehr beschwerlich machen. Frauen, die eine Spirale zur Empfängnisverhütung eingesetzt haben, können sich Komplikationen einhandeln, wenn sie die Vagina mit dem Beckenboden verwechseln und die falschen Muskeln trainieren. Ich vermute auch einen Zusammenhang zwischen Vaginismus (Scheidenkrämpfe beim Geschlechtsverkehr) und Übertraining der äußersten Beckenbodenschicht! Einige Frauen, die bei mir im Training über dieses schmerzhafte und das Liebesleben sehr störende Symptom berichteten, hatten durch falsch verstandenes Beckenbodentraining die Vaginaröhre zu intensiv bearbeitet. Also: Wenn sich ein Röhrengefühl einstellt, das sich im Körper fortsetzt, so haben Sie den Beckenboden verloren.

Seit ein paar Jahren tauchen regelmäßig im Frühling in Männer- und Frauenzeitschriften »Sexercises« auf, Anleitungen für ein glückliches Sexualleben via Beckenboden. Männer sollen auf dem erigierten Penis allerlei Gegenstände balancieren, Frauen allerlei Kugeln und Kegel in der Vagina halten. Solche Texte sind Mogelpackungen. Einmal, weil der Riesenmuskelverbund anatomisch reduziert wird – auf die Öffnung der Vagina bei der Frau, beim Mann auf den Harnschließmuskel. Zum anderen, weil seine Wirkung auf Sex beschränkt wird. Das ist, als würde der Einsatz des Gehirns aufs Haarewaschen reduziert.

Ein trainierter Beckenboden bringt Sie auf die Höhe der Evolution. Für die Höhe der Ekstase brauchen Sie so ganz nebenbei einen Partner, der den Berg mit Ihnen erklimmt. Es ist möglich, die Qualität der Orgasmen zu verfeinern, die Intensität des Beischlafs zu steigern. Wer aber durch ein bißchen Muskeltraining aus Sexmuffeln messianische Don Juans und unersättliche Emanuelles machen will, ist ein Scharlatan. Ein bißchen Denken macht schließlich auch noch keine Einsteins aus uns.

Hallo, Beckenboden, bitte melden

Legen Sie sich auf den Rücken, die Füße stehen hüftweit auseinander, die Beine sind entspannt aufgestellt. Entspannen Sie sich von den Füßen bis zum Scheitel. Die Wirbelsäule fließt schwerelos in die Unterlage, die Schultern fallen schwer und entspannt zu Boden.

Nun setzen Sie eine Handkante fest auf den oberen Rand des Schambeins und ziehen sie mit einem kleinen, festen Ruck nabelwärts. So entsteht eine Spannung in der äußersten Schicht der Beckenbodenmuskeln.

Nehmen Sie diese Spannung auf und dehnen Sie sie aus – um die Harnöffnung, die Scheidenöffnung, spannen Sie die Muskeln weiter zum Damm. Hier ist das eigentliche Epizentrum des Beckenbodens, hier konzentriert sich die Anspannung. Ziehen Sie das intensive Gefühl noch weiter zum Anus, stellen Sie sich vor, daß Sie die quer verlaufenden Muskeln aktivieren, bis Sie am Ansatz der Oberschenkel »etwas« spüren. Wiederholen, loslassen, wiederholen, loslassen. Der Bauch ist und bleibt bei allen Beckenbodenübungen vollkommen entspannt. Auch der Po arbeitet nicht mit, er sinkt schwer in die Unterlage. Nur der Beckenboden arbeitet.

Anfängern stellen sich verschiedene Schwierigkeiten beim Versuch, den Beckenboden zusammenzuziehen:

• Es schaltet sich das Becken fast automatisch ein und kippt leicht hoch. Das bedeutet: Der Rücken arbeitet mit.

• Oder es spannt sich das Gesäß an, wird steinhart und hebt sich leicht von der Unterlage.

• Versucht die Muskulatur der Oberschenkel die Arbeit zu leisten, so verursacht das Krämpfe – in den Waden, in den Oberschenkeln, in den Füßen.

Wenn Sie spüren, wie Sie ausweichen: Macht nichts. Haben Sie Geduld mit sich. Entspannen Sie sich vollkommen und suchen Sie die Position von neuem. Das ersehnte Ahaerlebnis stellt sich früher oder später ein.

Haben Sie Ihre Kinder mit Dammschnitt zur Welt gebracht? In diesem Fall brauchen Sie eine Extraportion Selbstliebe und Geduld, um das Gefühl zurückzuerobern. Eine schöne Variante: Nehmen Sie sich eine halbe Stunde Zeit, lassen Sie sich ein Vollbad in die Wanne laufen. Aromatisieren Sie das Wasser mit einem luxuriösen Zusatz. Entspannen Sie sich vollkommen im Bad. Während Sie meditierend im warmen Wasser liegen, richten Sie den Wasserstrahl der Dusche zart auf den Damm. Irgendwann werden Sie spüren, wie Ihr Beckenboden »blinzelt«.

Nach dem Bad: Legen Sie sich aufs Bett, bequeme Rückenlage, Beine angewinkelt, Füße hüftweit auseinander. Legen Sie die Hand in Ihren Schritt, ganz leicht und locker. Versuchen Sie jetzt, einen »Dialog« zwischen Hand und Geschlecht aufzubauen. Spüren Sie, wie die entspannte Wärme sich auf Ihre Hand überträgt und wie Ihre Hand diese Energie verstärkt wieder zurückgibt.

Später versuchen Sie, die ganze, flache Hand in den Körper zu »saugen«. Wenn Sie am Damm einen kleinen, aber intensiven Sog spüren: gratuliere. Das ist der Beckenboden. Dieses Gefühl können Sie ab sofort jederzeit und überall herstellen – beim Sitzen, Stehen, Autofahren, Liegen.

Zum Üben viel zu schade

Muskeln sind »Arbeitstiere«. Je mehr und zweckmäßiger sie beansprucht werden, desto geschmeidiger, kräftiger, elastischer, belastbarer werden sie. Der Beckenboden macht da keine Ausnahme. Im Gegenteil. Der evolutionäre Geniestreich kann sehr wohl unterfordert werden, aber kaum überfordert. Einmal in den Alltag integriert, setzt sein Muskelspiel so selbstverständlich und beiläufig ein wie das der Hände oder Füße.

Dafür müssen Sie den vergessenen Muskelteppich eine Weile systematisch trainieren. Die Verbindung zwischen der sensomotorischen Steuerung im Gehirn und dem Schatz im Schritt muß wiederhergestellt werden, mit Training und Disziplin. Eines Tages schaltet sich der Beckenboden automatisch ins Geschehen ein, plötzlich spüren Sie, wie er beim Treppensteigen arbeitet, wie die linke Seite unabhängig von der rechten den Körper in der Fortbewegung unterstützt. Wie er Sie beim Hinsetzen trägt, beim Aufstehen, beim Gehen, Springen, ja, wie er sich sogar im Schlaf unwillkürlich zum Schutz des Rückens aktiviert und zusammenzieht, wenn Sie sich im Traum wild drehen und wenden. Ungläubiges Staunen? Wenn Sie sich im Schlaf vom Rücken auf den Bauch drehen, sind ungezählte Muskeln am Werk, die ohne Ihr willentliches Zutun ökonomisch und koordiniert funktionieren. Der aktive Beckenboden verhält sich genauso.

Picken Sie sich aus den folgenden Kapiteln die Übungen heraus, die Ihrem Temperament und Ihrem Lebensstil entsprechen. Sie können den Beckenboden im Bett, in der Badewanne, im Fitneßstudio, beim Autofahren, beim Gemüserüsten oder beim Liebesspiel trainieren. Vorausgesetzt, Sie denken täglich mindestens dreimal daran, den Beckenboden bewußt zu aktivieren und zu stärken, werden Sie schon nach drei Wochen nicht mehr verstehen, wie Sie je ohne diesen besten Verbündeten gegen die Schwerkraft leben konnten.

Noch etwas: Ihr Beckenboden ist ein wunderbarer Lehrmeister. Er beeinflußt die Sprache Ihres Körpers in hohem Maße. Lernen Sie diese Sprache kennen, und Sie erfahren verborgene, vergessene, verlorene, verdrängte, verkümmerte, vernachlässigte Kapitel Ihres Wesens.

Frauen entdecken ihren Beckenboden

Die Schöne

François ist im sechsten Monat schwanger, als sie zum erstenmal ins Studio kommt. Sie sieht hinreißend aus in einem hautengen Body mit passendem Wickelrock, sommerfroh und auffallend in Smaragdgrün, Orange, Gelb, Königsblau gemustert. Françoise ist 36, über einsfünfundsiebzig groß, das sonnengebräunte Gesicht ist ebenmäßig, ein frisches Lachen legt perfekte Zähne frei. Die langen Beine stecken in eleganten hochhackigen Schuhen.

»Uff«, stöhnt Françoise und läßt sich im Umkleideraum auf die Sitzbank plumpsen. Sie öffnet die Maschen ihrer zauberhaften Stoffstöckel, massiert die Füße und stöhnt.

Sexy schält sich Françoise aus ihren Kleidern. Sie trägt einen winzigen Spitzenbüstenhalter und ein noch kleineres G-String-Höschen aus derselben Spitze. So, wie sie dasteht, könnte sie einem Modejournal für Schwangere entstiegen sein, nur daß man ihr die Schwangerschaft nicht abgenommen hätte.

»Mein Mann liebt mich halt in hohen Absätzen«, sagt Françoise, während sie die Verschlußöse des Büstenhalters löst. Es ist ein »Wonderbra«. Sie trägt auch ihn, weil's der Ehemann so mag. Ihre Brüste sind perfekt, nicht groß, nicht klein, einfach perfekt zu ihrem wohlgeformten Körper.

In T-Shirt und Leggings sieht Françoise noch jünger aus. Sie steht vor mir, ich knie vor ihr, damit ich sozusagen Körperinventur machen kann. Das macht Françoise verlegen. Sie hüstelt und lächelt und wechselt von einem Bein auf das andere. Sie macht ihr ohnehin hohles Kreuz noch hohler, hebt einen Fuß an, so, als trüge sie immer noch die Hochhackigen.

Die Füße zeigen Ansatz zu Hallux valgus (X-Zehe). Auf jeder Zehe prangt mindestens ein kleines Überbeinchen. Auch auf der Ferse hat sich ein Überbein gebildet. Alles ist sehr gepflegt, die Fußnägel strahlen in frischem, modischem Rot.

Françoises Knie sind voll durchgedrückt. Der kleine Po reckt sich nach hinten. Er ist schön zum Anschauen, wohlgerundet, obwohl die Muskulatur sehr schwach ausgebildet ist. Die Schultern sind von vorne sehr schmal, hinten stehen die Schulterblätter ziemlich stark vom Körper ab. Mit dem schönen Kinn zieht Françoise den Hals lang. Auch die Schultern sind leicht hochgezogen und vornübergeneigt.

Schwer und spitz steht das Bäuchlein vom Körper ab. Jetzt legt Françoise ihre Hände unter den Bauch, so, als wollte sie ihn anheben. »Mit dieser Schwangerschaft tu ich mich schwer«, sagt Françoise, »irgendwie zieht mich dieses Kind zu Boden.« Zwei Kinder hat sie schon, die erste Schwangerschaft war beinahe mühelos, die zweite schon ein bißchen beschwerlicher, und dieses Mal fühlt sie sich im sechsten Monat so, als sei das Kind bereits drei Monate überfällig.

Ganz klar: Der Beckenboden trägt nicht mit. Die Bauchdecke und vor allem der Rücken müssen die ganze Arbeit machen.

Françoise hat die ersten beiden Kinder per Kaiserschnitt geboren, sie will es auch beim dritten so halten, »etwas anderes kommt doch gar nicht in Frage«. Nein, die Brust gibt sie den Kindern nicht! Das ruiniert den Busen!

Françoise zieht am Hosenbund, zeigt mir die Narben der Kaiserschnitte. Sie sitzen ganz weit unten, drei Zentimeter unter dem Haarrand der kleinen, getrimmten Scham.

Wir beginnen mit den Übungen. Schon nach zehn Minuten spürt Françoise ein starkes, schmerzhaftes Ziehen im Narbengewebe der Kaiserschnitte.

Françoise gehört zu den robusten Schönen. Sie ist unkompliziert und hat Humor. Das Ziehen am Kaiserschnitt beeindruckt sie. »Ich hatte ja so meine Zweifel an dieser Beckenbodentheorie«, lacht sie, »jetzt weiß ich erstens, warum ich den Zugang zu dieser Muskelgruppe verloren habe und zweitens, wie effizient sie ist, wenn man sie braucht.«

Eigentlich habe sie ihr Mann ins Beckenbodentraining geschickt, jetzt sei sie froh, seinem Wunsch gefolgt zu sein. Mutig geworden, berichtet Françoise, sie habe seit den Schwangerschaften auch Probleme, zum Orgasmus zu kommen, »es geht nur, wenn ich die Beine zusammenklemmen kann«. Und weil sie ohnehin gerade am Boden auf der Matte liegt, macht sie es vor: Françoise streckt die Beine, zieht von den Zehen bis zum Scheitel alles bis zur Muskelstarre an, verknotet die Füße an den Gelenken, spannt das kleine Gesäß an, bis sich Dellen zeigen. Sie entspannt sich wieder und ist sehr froh, von mir zu hören, daß viele Frauen nur durch Hochspannung zur Entspannung gelangen können.

Trotz allem: Françoise hat Glück gehabt. Auffallend schöne Frauen verlieren den Powerschatz im Schritt meist schon in der Pubertät. Wenn sie sich ihrer Wirkung bewußt werden. Wenn ihnen die Menschen bewundernd nachsehen. Wenn sie lernen, ihr Selbstwertgefühl von der Menge und Intensität bewundernder, begehrender Blicke abzuleiten.

Die Schöne entwickelt ein feines Gespür für alles, was Blicke auf sich zieht. Sie verschlingt Frauenzeitschriften. Und Männerzeitschriften. Sie entwickelt sich zur Meisterin im Kopieren von vermeintlichen Schönheitsattributen – die typische Penthouse-Pose zieht die Blicke der Männer an, also muß sie schön sein.

So ruiniert sich die Schöne peu à peu die Haltung. Meist zeigen die Füße als erstes die typischen Degenerationserscheinungen. Weil Schönheit eine enorme Leidensfähigkeit besitzt, reagiert sie auf die Rücken- und Nackenbeschwerden erst, wenn die Schmerzen unerträglich werden.

Die moderne Schöne unternimmt viel, um ihr Aussehen zu erhalten. Kein Sport ist zu aufwendig, keine Fitneßmethode zu anstrengend, den Besitzstand zu wahren. Aber da die Schöne selbst an den Kraftmaschinen nur im Hohlkreuz hantiert, ist der Nutzen minimal. Schönheitsfarmen, Schönheitswochenenden, Schönheitsferien werden fast ausschließlich von Schönheiten gebucht. Immer und immer wieder.

Eines Tages stellt die Schöne im Spiegel fest, daß der Po hängt, daß sie einen Bauch kriegt, daß die Oberschenkel Dellen aufweisen, daß ihr Kinn plötzlich doppelt vorhanden ist. Sehr oft lassen die chronisch hochgezogenen Schultern den Busen vorzeitig absinken.

Für die Schöne ist das ein Unglück, mag sie außer ihrer Schönheit noch soviel Intelligenz, Charme und berufliche Tüchtigkeit besitzen. Die Bekehrung zur artgerechten Haltung ist bei ihr besonders schwierig. Die Schöne ist es gewohnt, schön zu sein. Dafür arbeiten zu müssen, ist ihr meist fremd.

Und so fällt ihr der Gang zum Schönheitschirurgen viel leichter als die Aufgabe von Gewohnheiten. Für eine bestimmte Zeit ist das Problem ja auch behoben.

Aber eben – nur für eine gewisse Zeit. Dann sieht sie sich der unerbittlichen Zeit aufs neue ausgeliefert.

Sie gibt dem Alter die Schuld, der Schwerkraft oder sich selbst. Die schlimmste aller Varianten. Schuldgefühle machen alt. Falten an der Seele lassen sich nicht wegmassieren und nicht wegschneiden.

Françoises Kontaktübung

Auf eine nicht zu weiche Unterlage setzen und vorsichtig mit Hilfe der Unterarme auf den Rücken legen.

Beine hüftweit auseinander angewinkelt aufstellen.

Einen Tennisball genau über dem Damm zwischen den Beinen aufsetzen.

Mit dem Beckenboden festhalten. Das heißt: Die Knie bleiben hüftweit auseinander, die Oberschenkel werden nicht zusammengedrückt.

Achtung: Beim ersten Versuch wird das Becken oft mit dem Gesäß leicht nach oben geschoben. Wenn das bei Ihnen der Fall ist, können Sie ein schweres Kissen oder ein dickes Buch auf den Bauch und das Schambein legen. Durch den Druck fällt es Ihnen leichter, den Rücken flach auf dem Boden liegen und die Gesäßmuskulatur entspannt zu lassen.

Spielen Sie mit dem Tennisball, versuchen Sie, ihn in den Körper zu ziehen. Blinzeln Sie ihm mit dem Beckenboden zu. Spüren Sie der Muskulatur Ihrer Beine nach, wenn Sie den Beckenboden zusammenziehen. Mit etwas Geduld werden Sie spüren, wie die Ausläufer dieser kraftvollen Bewegung bis in die Füße wirken.

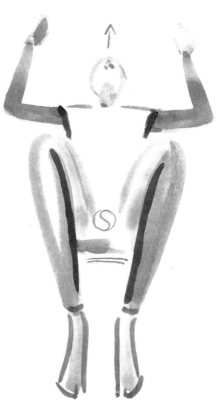

Gegen Françoises Hohlkreuz

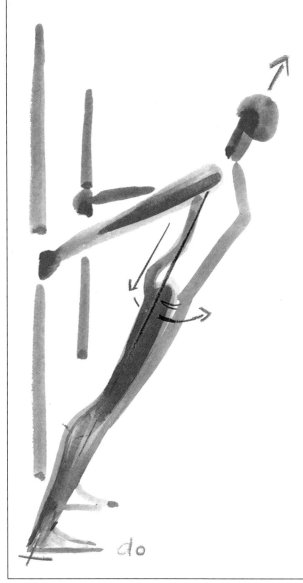

Stellen Sie sich in den Rahmen einer offenen Tür. Füße am Boden verankern. Das Groß-zehengelenk und die Außenkante der Ferse haben festen Kontakt mit dem Boden. Fassen Sie nach hinten auf beiden Seiten den Tür-rahmen, die Arme sind ungefähr auf der Höhe Ihrer unteren Rippen. Beckenboden aktivie-ren.

Lassen Sie den Ober-körper nach vorne fal-len, bis die Arme ausgestreckt sind. Beckenboden noch mehr zusammenzie-hen, das Becken ganz leicht zum Nabel hoch-rollen, damit der un-tere Rücken noch mehr gedehnt wird. Dehnung etwa 40 Se-kunden halten. Ent-spannen, wiederholen.

Die Bescheidene

Judith ist 36, verheiratet, arbeitet als Sekretärin, liebt den Beruf aber nicht. »Zu mehr hat es nicht gereicht«, sagt sie, »ich war auch immer zu faul zum Lernen.« Ihr Mann hat einen künstlerischen Beruf, kommt und geht, wie es ihm paßt. Das ärgert Judith manchmal, aber sie hat sich damit arrangiert.

Judith sieht unscheinbar aus. Halblange Haare, weder frisiert noch unfrisiert, ein hübsches, aber ausdrucksloses Gesicht, weder geschminkt noch ungeschminkt, die Haut weder rein noch unrein. Eine Weder-Noch-Frau? Die Augen sind eisblau und sehr klar, wenn sich Judith traut, jemanden anzusehen. Meist irren die Augen unruhig umher, so, als hätten sie Angst, an irgend etwas oder irgend jemandem hängenzubleiben. Graumäusig ist auch die Kleidung: verwaschene schwarze Hosen, eine nichtssagende beige-grau gemusterte Bluse, die lose fällt. Banale Schuhe. Alles sehr sauber und unauffällig.

»Nehmt mich wahr, übersehr mich nicht«, schreit die Migräne. Die regelmäßig jede Woche auftretenden Beschwerden führen Judith zu mir. Sie hat alles versucht, Allopathie, Homöopathie, Akupunktur, landet aber immer wieder bei Spritzen, die kurzfristig die Schmerzen lindern und langfristig gar nichts ausrichten.

»Das kann ich doch nicht.«

»Man nimmt sich selbst viel zu ernst. Ich weiß, andere Menschen haben viel schlimmere Krankheiten.«

»Bäume wachsen nicht in den Himmel.«

»Mir fehlt doch nichts, ich habe doch alles. Mir geht es doch gut.«

Judith verwendet häufig solche Sätze, macht sich so klein und »bescheiden«.

Sie hält mit dem Beckenboden den Tennisball genau über dem Kreuzpunkt am Damm. Sie macht es gut, ihr Beckenboden scheint auf die Wiederbelebung geradezu gewartet zu haben. Nur Judith mißtraut ihrer Wahrnehmung zutiefst.

»Wo müßte ich das denn spüren?«
»Ist es so richtig?«
»Was soll ich machen?« Fragt Judith.

Ich frage zurück.
»Was spüren Sie denn?«
»Fühlt es sich gut an?«
»Empfinden Sie es als richtig?«
»Was möchten Sie machen?«

Einen Augenblick sieht Judith aus, als wolle sie schreiend davonrennen. Dann atmet sie tief durch, legt sich wieder auf den Rücken, setzt den Ball wieder an und seufzt, seufzt, seufzt. Es vergehen bestimmt fünfzehn, zwanzig Minuten, dann sagt Judith: »Es fühlt sich verdammt gut an, verdammt gut.« Da löst sich eine Schar lange gestauter Tränen aus den lachenden Augen und versickert im Schläfenhaar.

Innerhalb von zwei Wochen hat Judith den Beckenboden in den Alltag integriert. Sie fühlt sich größer, stärker, selbstbewußter und ist für den nächsten Schritt bereit: die Wirbelsäule dehnen, um dann, in Schritt drei, die Schultern und den Nacken vom Dauerdruck zu befreien.

Nach einem halben Jahr berichtet Judith, das Beckenbodentraining mache sie auch seelisch stärker, »ich bin weniger ängstlich. Ich habe Halt und fühle mich stabil. Es kann mich nicht mehr jeder Windhauch umwerfen und in größte Selbstzweifel stürzen.«

Sobald sie spürt, wie sich eine Migräne auszubreiten beginnt, stellt sich Judith aufrecht hin, ankert die Füße bewußt am Boden, aktiviert den Beckenboden und zieht die Wirbelsäule lang. Sie hat inzwischen gelernt, den Nacken vollkommen zu entspannen, den Kopf aus dem Hals herauszuziehen und federleicht am Scheitel »aufzuhängen«. »So kann ich jede Attacke abwenden. Ein gutes Gefühl. Ich bin verantwortlich für mich, ich bin dem Schmerz nicht mehr ausgeliefert.« Sie braucht auch keine Spritzen und Tabletten mehr. »Ohne die rasenden, pochenden Kopfschmerzen habe ich auch wieder Freude am Sex, und das tut meiner Ehe gut. Mein Mann merkt übrigens den Unterschied. Mein elastischer, kräftiger Beckenboden ist eine Bereicherung für unser Liebesleben. Das allein ist das bißchen Aufwand wert.« Überhaupt falle ihr erst jetzt auf, wie sie mit ihrer Migräne die Umwelt manchmal regelrecht terrorisierte. »Oft reichte die Angst vor einem Anfall, die Migräne auszulösen.«

In neugewonnenem Selbstbewußtsein sagt Judith: »Mit dieser neuen Kraft kann ich plötzlich nein sagen, wenn ich etwas nicht machen will. Das ist wunderbar, und ich bin richtig stolz auf mich.« Sie strahlt. »Und jetzt gehe ich Klamotten kaufen. Eine neue Garderobe muß her. Ich will mich nicht mehr in diesem mausgrauen Zeug verstecken.«

Judith ist auch in den alten Sachen keine Weder-Noch-Frau mehr: Ihr Körper hat Tonus, ihr Gang ist beschwingt, die ganze Person hat Ausstrahlung, auch die Stimme hat sich verändert. War sie vordem leicht fiepsig, ist sie jetzt voll, klar, gelassen. Aus dem unsicheren Stotterkichern ist ein schönes, kehliges Lachen geworden. Sie freut sich über das Kompliment, »trotzdem«, sagt sie, »dieses neue Lebensgefühl möchte ich mit Farben und frohen Kleidern ausdrücken«.

Judiths Anti-Migräne-Übung

*Im Schneidersitz hinsetzen (auf den Boden oder auf ein Meditationskissen).
Entspannen.*

*Die Sitzknochen mit dem Beckenboden zusammenziehen. Das Steißbein in
den Boden fließen lassen.*

*Den Rücken von unten Wirbel um Wirbel in den Scheitel hinauf verlängern.
Vor allem die unteren Wirbel entspannen.*

Nacken und Hals vollkommen entspannen.

*Achtung: Kinn nicht nach vorn ziehen, sondern zu den Ohren nach hinten-
oben »ziehen«.*

*Mit den obersten Punkten der Ohren eine sehr kleine liegende Acht in die
Luft zeichnen. Dabei schraubt sich der Scheitelpunkt sanft zur Decke.*

*Die Schultern nach hinten-
außen-unten fallenlassen.*

*Den Atem frei fließen las-
sen.*

*Wenn beim ersten Versuch
nichts passiert: durchhalten,
immer wieder versuchen.*

*Plötzlich werden Sie spüren,
wie der Kopf im Nacken
(über dem Atlas) ganz leicht
wird, als flöge er gleich davon, wie sich der Brustka-
sten an der Wirbelsäule hebt
und beim Atmen öffnet, wie
sich die Rippen öffnen und
entfächern.*

Die Spirituelle

Lies-Ann bezeichnet sich gern als »Suchende«. Sie ist Journalistin und hat sich auf New-Age-Themen spezialisiert: Bach-Blütentherapie, karmische Astrologie, Bewußtseinserweiterung, erst durch Drogen, jetzt durch die Avatar-Techniken, Reinkarnationstherapien, medizinische Hypnose, Trance-Arbeit, Zen-Meditation, Traumanalyse, sie interessiert sich für alles, was geistiges Wachstum verspricht. Sie war in allen Psychohochburgen der Welt, in Kalifornien, in Oregon, in Indien, in der Schweiz. Sie begeistert sich für Osho Baghwan Rajnesh genauso wie für Sai Baba, sie glaubt an die Magie von Buchstaben und Farben und bittet das Höhere Selbst täglich um geistige Führung.

Bei soviel Esoterik kann einem ein Körper schon im Weg sein. »Ja«, sagt Lies-Ann im Beckenbodentraining, »ich bin ja nicht mein Körper, ich hasse meinen Körper, er ist mein Gefängnis, er behindert meinen Geist auf den Astralreisen, er hindert mich daran, mich in Licht zu verwandeln. Mein Geist, das bin ich, ich bin nicht mein Körper, er ist sterblich, ich, mein wahres Selbst, bin unsterblich.« Und sterblich sieht Lies-Anns Körper auch aus – ungeliebt, schwerfällig, hinderlich. 57 Kilo, 168 Zentimeter, meistens verpackt im knöchellangen, gekrinkelten Gipsy-Look, mit der Ausstrahlung: Ich bin mir selbst im Weg.

Lies-Ann betrachtet es als eine persönliche Beleidigung, für den Unterhalt des Körpers soviel Energie aufwenden zu müssen. »Ein Prototyp mit schweren Mängeln«, findet sie. Zähneknirschend – und zwar buchstäblich – findet sie sich mit 42 damit ab, etwas für den Körper tun zu müssen. Sie hat gehört, das effizienteste Minimum sei eben das Beckenbodentraining.

Das war vor einem halben Jahr. Es war, als erfahre der Fisch im Gurkenglas vom Meer: Nichts wie hin. Raus aus der Enge. Heute, sagt Lies-Ann, passe ihr Geist zum erstenmal in den Körper. Sie akzeptiere ihn als Gefährt, als fliegenden Teppich, als Instrument für die Erfahrungen, die sie auf dieser Welt zu machen habe oder machen wolle. Eigentlich hätte sie selbst auf das Kraftzentrum im Schritt kommen müssen, sie kenne doch die indische Chakrenlehre, der

Beckenboden entspreche dem Wurzelchakra, und die Sache mit der Kundalini, der Extrakraft in Schlangenform, die dem Erleuchteten durch die Wirbelsäule zum Scheitel aufsteige, die mache jetzt auch Sinn, Tantra und Kamasutra sowieso.

Lies-Ann ist verwandelt. Sie trägt Hosen, »zum erstenmal in meinem Leben fühle ich mich in Hosen wohl«, noch dazu in gerade geschnittenen. »Die unförmigen Pölsterchen an meinen Oberschenkeln und an den Innenseiten der Knie schmolzen einfach so weg«, erzählt Lies-Ann. Nur mit den Innenschenkeln ist sie noch nicht ganz zufrieden, »aber ich bin überzeugt, auch die werden besser, wenn ich den Beckenboden nicht mehr aus meinem Bewußtsein entlasse«. Überhaupt habe diese Art der Körperarbeit, des Körperbewußtseins ja auch eine spirituelle Komponente: »All die Jahre wollte ich mit dem Kopf den Körper bezwingen, jetzt lehrt mich der Körper, daß er seine eigene Intelligenz hat. Das hat mein Weltbild ganz schön durcheinandergebracht.« Von der landläufigen Hierarchisierung, wonach der Körper hinter Geist und Seele rangiere, hält Lies-Ann nichts mehr. »Wer weiß, vielleicht ist ja der Körper auf diesem Planeten der Gradmesser für die geistige Entwicklung! Wie ein Instrument, das gepflegt, geachtet und gestimmt viel schönere Melodien hervorbringt.« Was aber um Himmels willen nicht heißen solle, sie gebe sich jetzt dumpf dem Körperkult hin! Nein, das nicht, aber Haltung, Kraft, Tonus brauche der Körper einfach. Immerhin trainiert Lies-Ann dreimal pro Woche. »Regelmäßig, im Studio, Kraft und Beweglichkeit. Den Beckenboden habe ich voll in den Alltag integriert. Am Morgen, noch im Bett, nehme ich Fühlung mit ihm auf, am Abend vor dem Einschlafen.«

Lies-Anns Kontaktübung am Morgen

Nach der Dusche in ein großes Frottiertuch hüllen. Nicht abtrocknen! Zurück ins warme Bett.

Beine angewinkelt aufstellen, Füsse, Knie und Hüfte bilden eine Linie.

Rücken in die Unterlage fließen lassen. Entspannen.

Die rechte Seite des Beckenbodens aktivieren. Den rechten Rücken nach unten zur Ferse hin verlängern.

Auf der linken Seite den Beckenboden aktivieren und die linke Beckenhälfte leicht zum Nabel rollen.

Seite wechseln: Linken Rücken verlängern, rechts das Becken zum Nabel rollen.

Wenn Sie die Übung verinnerlicht haben, entstehen geschmeidige Kreisbewegungen, genau die Kreisbewegungen, die ein Menschenkörper macht, wenn er koordiniert und ökonomisch geht, Treppen steigt, läuft, springt.

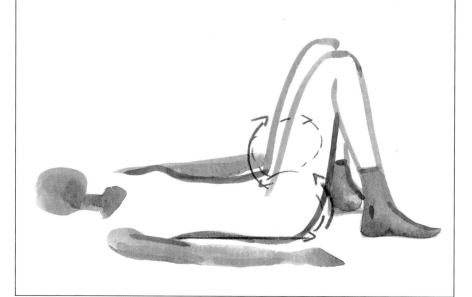

Lies-Anns Kontaktübung am Abend

Entspannt im Bett liegen. Beine angewinkelt. Einen ganz leichten Hohl-rücken machen. Beckenboden anspannen. Steißbein zu den Fersen verlän-gern.

Beckenboden noch mehr zusammenziehen und mit dem Beckenboden das Becken zum Nabel hochrollen.

Mit dieser Drehbewegung im Becken Wirbel um Wirbel langsam und sehr bewußt von der Unterlage heben, wie eine Brücke, die hochgezogen wird.

Wenn zwei, drei Wirbel »sperren« und in einem Ruck hochkommen wollen: Becken noch mehr zum Nabel rollen, die Wirbel wieder zurücklegen, wieder leicht heben.

Bis Sie spüren, wie die Wirbel einzeln geschmeidig werden.

Die Schwache

Erschöpft sitzt Barbara auf der Matte. Wir haben eine knappe Viertelstunde an ihrem Beckenboden gearbeitet. Sie berichtet von den Diagnosen, die verschiedene Ärzte zu ihren diversen Symptomen assortierten. Einer bescheinigte ihr eine beginnende Muskelatrophie, eine Muskelschwäche, die sich zusehends verstärkt und die als unheilbar gilt. Ein anderer stellte beginnende Osteoporose fest. Dabei werden die Knochen durch Kalkmangel porös und brüchig. Unter Hämorrhoiden leidet sie seit Jahren schon. Barbara kann nur Schuhe mit Einlagen tragen, »die Füße schmerzen fast ununterbrochen, manchmal habe ich Angst, daß sie einfach plötzlich ihren Dienst versagen«. Auf zaghaften Spaziergängen knickt Barbara oft um.

In der Tat, Barbaras Muskeln sind schlaff. Sehr schlaff. Ihre Figur ist ansehnlich, auf unauffällige Art hübsch. Beim Anfassen fehlt die Spannkraft. Meine Hand stößt im weichen Fleisch direkt auf Knochen.

»Was für Vorteile bringt Ihnen diese Muskelschwäche«, frage ich Barbara ziemlich abrupt. Die Antwort kommt ohne Zögern: »Ich muß keine Verantwortung übernehmen, weil ich so schwach bin.«

Barbara ist selbst am meisten überrascht über ihre Antwort. »Habe ich das wirklich gesagt«, fragt sie erstaunt. Es sei die Wahrheit, und jetzt wisse sie auch, was sie ins Training gebracht habe: »Ich will endlich die Verantwortung für mich, mein Leben, meine Gesundheit übernehmen«, in der Stimme der aparten Vierundvierzigjährigen schwingt Energie und Überzeugung. »Wenn es nicht schon zu spät ist«, schickt sie unsicher nach.

Nein, es ist nicht zu spät. Einsicht, soviel radikale Einsicht, die von einer Sekunde auf die andere alle Ausreden fallen läßt, ist eine wunderbare Motivation. Eine Motivation, die Wunder ermöglicht.

So ist es auch bei Barbara. Innerhalb von vier Wochen verändert sie sich schier unglaublich. Sie erarbeitet sich eine stabile Haltung, einen Muskelgrundtonus. Das gibt ihr Selbstvertrauen und verändert ihren Ausdruck.

Barbara ruft sporadisch an, um von den Veränderungen in ihrem Leben zu erzählen. Sie hat sich aus einer Beziehung gelöst, in der sie von ihrem Partner stark dominiert wurde. Sie hat sich eine neue Arbeitsstelle gesucht und sich an der Volkshochschule in Psychologie eingeschrieben. »Ich bin so glücklich«, sagt Barbara, »ich hatte mich doch schon fast zu Tode geschont.« Und vor der Osteoporose, die sie bis dahin für ein unabwendbares Familienerbe hielt, habe sie überhaupt keine Angst mehr. »Meine Mutter, meine Großmutter, meine Tanten – alle glaubten sie, die Schwache mimen zu müssen, um durchs Leben zu kommen. Im Alter waren sie es dann auch, schwach und brüchig bis auf die Knochen.«

Inzwischen hat sich Barbara einen langgehegten Traum erfüllt: Sie fährt eine Kawasaki, ein richtig schweres Motorrad. »Der Beckenboden steuert mit«, erzählt sie lachend. Und sie nimmt sich fest vor, Reiten zu lernen, ein idealer Sport gegen Ängstlichkeit und mangelndes Selbstvertrauen.

Barbaras Popolaufen

Auf dem Boden sitzen. Schneidersitz. Beckenboden anspannen, loslassen, anspannen, loslassen. Rücken ganz gerade, hochgezogen, bis zum Scheitel gedehnt.

Spüren Sie die Sitzknochen? Gut. Das linke Bein bleibt angewinkelt und völlig entspannt liegen. Das rechte Bein aufstellen. Jetzt den Beckenboden nur rechts anspannen und die Spannung bis in den Kronenpunkt am Scheitel ausdehnen. Aus dem Beckenboden das rechte Gesäß anheben. Der trainierte Beckenboden arbeitet rechts und links unabhängig voneinander und nimmt Ihnen beim Gehen, Rennen, Spazieren, Springen, Joggen, Hüpfen die ganze Arbeit ab.

Also, das rechte Gesäß mit dem rechten Teil des Beckenbodens heben. Dabei schiebt sich höchstwahrscheinlich die linke Schulter mit dem angewinkelten Arm leicht nach vorn. Ja? Wunderbar. Sie sind ein Beckenbodennaturtalent. Das rechte Gesäß absetzen. Beckenboden anspannen, Wirbelsäule dehnen und gedehnt halten, während Sie die Beinstellung wechseln. Linkes Bein aufgestellt, rechtes entspannt angewinkelt. Und jetzt die linke Gesäßhälfte mit *dem linken Beckenboden anheben.*

Wenn Sie's richtig machen, schwankt der Oberkörper überhaupt nicht zur Seite. Falls Sie die Möglichkeit haben: Machen Sie die Übung mit einem Kind. Kinder gebrauchen ihren Körper richtig – bis jemand erziehend-verziehend eingreift.

Die Unsichere

Die unsichere Frau ist in jeder Kategorie zu finden. Die Unsicherheit ist weiblich. Urweiblich. Oder haben Sie im Freibad, am Swimmingpool des Ferienhotels, unter Palmen am Südseestrand je einen Mann gesehen, der sich in Lackslippers quält, einen Pareo umbindet und sich ins Hohlkreuz wirft, um sich am dreißig Meter entfernten Verkaufsstand ein Eis zu holen?

Isabella ist 29, sportlich, schlank und wohlgeformt. Sie ist außerdem Akademikerin (Dr. phil.), ihre Eltern legten sehr viel Wert darauf, der Tochter die gleichen Möglichkeiten zu bieten wie den beiden Söhnen, und sie sind stolz auf die Tochter. In einem renommierten Verlag arbeitet Isabella sehr erfolgreich als Leiterin einer umsatzstarken Abteilung.

Wir arbeiten gemeinsam an ihrem Rücken. Isabella hat diffuse Rückenschmerzen, die im Sommer sehr viel stärker auftreten als in anderen Jahreszeiten. Isabellas Körperintelligenz reagiert sehr schnell unter meinen Händen, sie setzt sofort um, was sie spürt. Nach einer halben Stunde beginnt Isabella zu lachen, erst ganz verlegen, dann herzhaft, bis sie schließlich Tränen in den Augen hat.

»Mir ist soeben aufgegangen, warum ich vor allem im Sommer Kreuzschmerzen habe.«

Ich muß ihr erst versprechen, sie nicht auszulachen. Umständlich erzählt sie mir, sie liebe den Sommer und die Sonne, sie schwimme sehr gern, und Turmspringen sei eine kleine Leidenschaft. »Und da tripple ich dann so vom Liegestuhl zum Pool und zurück«: Isabella wirft sich übertrieben in Pose. Die Füße schweben ohne Bodenhaftung über den Boden, das Kreuz ist durchgedrückt, der Busen hochgedrückt, das Kinn ist keck vorgerückt, die Schultern sind leicht spastisch verdreht, und die Hände rotieren unnatürlich um die Oberschenkel.

»Warum machst du das?«

»Weil meine Beine so länger scheinen. Und weil die Cellulite weniger sichtbar ist.«

»Welche Cellulite?«

»Die an den Oberschenkeln hinten.«

»Schlüpf doch bitte mal aus den Leggings und wirf dich vor dem Spiegel in die Poolposition.«

Isabella kommt meiner Aufforderung nach. Sie steht fast auf den Zehen. Das Becken schiebt sie so weit nach hinten, es schmerzt schon beim bloßen Zusehen. Von Cellulite keine Spur. Doch jetzt spannt Isabella auch noch das Gesäß an, in der irrigen Meinung, das verbessere die Silhouette. Da zeigen sich plötzlich Dellen und Grübchen, wo vorher keine waren. Isabella heult auf, »da, schau, da, ich habe eindeutig Cellulite«.

»Du machst Cellulite.«

»Wie bitte?«

Ich zeige ihr vor dem Spiegel, wie sie den Beckenboden ohne die Gesäßmuskulatur anspannen und wie sie gleichzeitig das Becken verschieben kann. Fast automatisch verlagert Isabella das Gewicht auf den Füßen so, daß ihr Großzehengelenk und die Außenkante der Ferse fest auf dem Boden stehen.

»Ich sehe die Orangenhaut ja gar nicht mehr«, staunt Isabella.

»Das ist eben der Unterschied zwischen machen und haben.«

Während Isabella mit der neuen Position spielt, zurückfällt ins übertriebene Hohlkreuz, um dann wieder das Becken unter den Körper zu schieben und den Beckenboden zu aktivieren, erzählt sie von einer Studienkollegin. »Ich ging mit Tara oft baden. Aber ich habe sie in fünf Jahren nicht einmal im Bikini von hinten gesehen.« Tara fand ihren Po dick und unförmig. Sie trug die höchsten Hacken, die sie finden konnte, bewegte sich nur zum Swimmingpool, wenn sie Begleitung hatte, »dann redete sie auf mich ein und ging buchstäblich rückwärts. Virtuos.« Isabella macht Taras Po-Tarngang vor und ist dabei umwerfend komisch. »Wir haben doch jedes Fotomodell, jede Schauspielerin imitiert, haben jede noch so einfältige Pose kopiert, wenn wir uns dadurch eine optische Verschönerung versprachen«, erinnert sich Isabella. In pubertären Zeiten? »Ach was, wenn ich ehrlich bin, mache ich das noch immer.«

Wenn das Thema nur nicht so ernst wäre: Was heute bei Frauen, an Frauen als schön gilt, ist frauenfeindlich. Ganz unabhängig davon, ob wir hohe Absätze an Schuhen schön finden, die Dinger sind für die Füße und den Rücken eine Tortur. Abgesehen davon: Power vermitteln die Dinger nicht, Lebensfreude höchstens dadurch, daß sie bewundernde Männerblicke produzieren. Nach ein paar Stunden stummen Leidens wird jedoch der Gesichtsausdruck langsam, aber sicher gequält, und die begehrlichen Blicke bleiben aus. Die hochgezogenen Schultern à la Audrey Hepburn verstärken den Eindruck vom schwachen Weibchen. Das hochgereckte Köpfchen staucht die Wirbelsäule zusehends.

Isabella experimentiert vor den Spiegeln immer noch mit den beiden Posen, sagt unvermittelt: »In der neuen Pose finde ich mich viel schöner. Ich habe Halt und Sicherheit, meine Füße und Beine sind leicht, die Körpermitte ist stabil und gepowert, die Wirbelsäule ist lang, der Kopf leicht.« Sie seufzt leise und meint schließlich: »Warum können die anderen diese Schönheit denn nicht sehen?«

Sie können – wenn keine Isabellas und Taras und Benitas mehr in jene Posen fallen, die Relikte aus Zeiten sind, als den Frauen von den Zeitgeistphilosophen Kant & Co. zwar eine Seele zuerkannt wurde, als sie aber noch keine Rechte hatten, schon gar nicht das Recht auf Lust oder Stärke. Isabella durchschreitet das Studio, »jetzt weiß ich, was es ist, dein Tiger Feeling«. Sie strahlt. Sie wirkt größer. Und gelöster. Jetzt ist sie schön. »Hoffentlich falle ich nie mehr zurück. Ich darf gar nicht daran denken, wieviel Energie ich darauf verwandte, mich zu verkrüppeln.«

Für Isabella wird es relativ leicht sein, das alte Muster für das neue aufzugeben: Im gestelzten Hohlkreuz plagten sie zuweilen unerträgliche Schmerzen. Die neue Haltung macht sie schmerzfrei. Sie ist vernünftig genug, die Illusion von Schönheit aufzugeben und gegen das Wohlfühlen einzutauschen. Viel schwieriger ist es, wenn die Krüppelpose nicht schmerzt. Da fehlt den meisten Frauen die Motivation. Kann sich ein neues Schönheitsideal durchsetzen, solange es weibliche Wesen gibt, die sich freiwillig und ohne Honorar – sprich Schmerzensgeld – in Playboy-Pose werfen, um das Männerauge zu erfreuen? »Es ist doch viel schlimmer«, sagt Isabella, »die Entwürdigung zum schwachen Weibchen gefällt uns doch selbst auch, es ist schließlich längst unser eigenes Geld, das wir in high Heels und klitzekleine Minis und atemabschnürende Stützbüstenhalter investieren!«

Isabellas Erdung

*Entspannt stehen. Die Füße hüftweit auseinander. Beckenboden kräftig an-
spannen. Das Großzehengelenk in den Boden sinken lassen. Die Außenkante
der Ferse sinkt ebenfalls schwer ein. Falls Sie Druck auf den Knien spüren
oder die Knie nicht ganz exakt über dem Mittelfuß stehen: Drehen Sie die
Oberschenkel – nur die Oberschenkel – in Gedanken leicht nach außen. Wenn
Ihnen das schwerfällt, können Sie mit einem leichten Druck nachhelfen: An
der Seite des Beines, eine gute Handbreit über dem Knie, finden Sie zwischen*

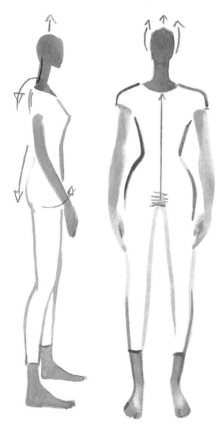

*zwei Sehnen einen Punkt, der auf
Druck reagiert, manche empfinden
es als Schmerz, andere als Wohlweh.
Beugen Sie sich vor, drücken Sie
gleichzeitig auf beiden Seiten diese
Punkte, während die Beine gleichzeitig Gegendruck geben. Gehen Sie
mit diesem Beingefühl zurück in die
Ausgangsposition.
Beckenboden noch mehr anspannen,
die Wirbelsäule von unten nach
oben Wirbel um Wirbel zum Scheitel verlängern, den Scheitel gleichzeitig immer höher ziehen, ohne
den Bodenkontakt der Füße zu verlieren. Kinn und Kiefer sind ganz
entspannt. Das Steißbein zieht
schwer und entspannt nach unten.
Wenn Sie diese Übung mit medita-
tiver Konzentration und häufig
machen, können Sie mit der Zeit
ein, zwei Zentimeter »wachsen«.*

Die Frauliche

Margrit wirkt weich und mollig. Sie geht mit leicht schwingenden Hüften. Ihr Lachen klingt gurrend und sinnlich. Die Frage nach Damm- oder Kaiserschnitten mündet in die mit Leidenschaft vorgebrachte Schilderung der Geburten ihrer zwei Kinder. Diese Geburten waren das Glück ihres Frauenlebens, die wichtigsten Erlebnisse überhaupt, und daß der Ehemann beide Male dabei war, macht die Erinnerung noch schöner.

Wie war das mit dem Dammschnitt?

»Ach ja, das war schrecklich, es klang, als würde mit einer Baumschere ein Ast durchtrennt.«

Mit achtundvierzig ist Margrit sehr attraktiv. Sie versteht es, sich elegant und sehr weiblich anzuziehen. Fürs Beckenbodentraining ist sie nicht sehr motiviert. Eine Freundin hat sie geschickt. Sie kann sinnlose Anstrengung nicht ausstehen, »die Frauen sehen doch alle furchtbar aus, wenn sie sich im Krafttraining oder beim Rumhopsen so verbeißen«. Aber Margrit leidet unter der geknickten Gebärmutter, sie möchte sich nicht operieren lassen, den Leistenbruch, ja, den wird sie wohl oder übel irgendwann richten lassen müssen, beim Husten, Niesen und Lachen verliert sie immer häufiger ein paar Tropfen Urin. Irgendwie macht das Liebesleben nicht mehr soviel Spaß wie früher, der Ehemann habe auch schon einmal zugegeben, er empfinde nicht sehr viel, wenn sie zusammen sind.

Margrit ist im oberen Rücken verspannt. Hier trägt sie ihr Gewicht. Schultern und Arme helfen mit. Sie kann sich im Schneidersitz nur aufrecht halten, wenn sie mit den Armen nachhilft und sich am Boden abstützt. Gesäß und Oberschenkel sind füllig. »Die paar Kilo zuviel stören mich überhaupt nicht – wenn sie nur am richtigen Ort säßen«, klagt Margrit. »Und gegen die Cellulite führe ich einen chancenlosen Kampf.«

Margrit nimmt mit dem Tennisball Kontakt mit ihrem Beckenboden auf. Das gefällt ihr, das kommt ihrer sinnlichen, fröhlichen Art entgegen: Der Ball sitzt genau über dem Damm, Margrit versucht, ihn in den Körper zu ziehen. Ich gebe zarten Druck auf den Ball, und damit Margrit das Gesäß nicht vom Boden heben kann, lege ich ein schweres Kissen auf den Bauch. Schließlich schafft sie es, den Beckenboden isoliert zu aktivieren.

»Was ist, wenn ich den Zug in der Vagina weit hinauf spüre«, fragt Margrit. Ganz klar: Sie ist vom Weg abgekommen. »Aber das habe ich doch im Schwangerschaftsturnen gelernt!« Sie ist so erstaunt, der Beckenboden zieht sich merklich noch mehr zusammen.

Viele Frauen, die sich beim Beckenbodentraining zu sehr auf die Schließmuskeln der Öffnungen konzentrieren, bekommen dieses Röhrengefühl: Die Scheide verengt sich weit hinauf, in den Körper hinein. Aber diese Muskulatur soll geschmeidig bleiben und sich problemlos dehnen können, beim Liebesverkehr genauso wie beim Gebären. Wer diese Muskulatur übertrainiert, kann Probleme kriegen: Das Einführen von Tampons wird schmerzhaft, der Verkehr sowieso, und einige Frauen, die an Vaginismus leiden, einem Scheidenkrampf beim Sex, haben den Beckenboden falsch verstanden und trainiert.

Den Ausdruck Röhrengefühl versteht Margrit sofort, »ja, das ist es, ein Röhrengefühl.« Es fällt ihr schwer, die Muskeln im Körperinnern zu entspannen und den eigentlichen Beckenboden zu spüren. Doch sie hat Geduld, trainiert während des Tages, wann immer sie daran denkt – im Auto, auf dem Bürostuhl, an der Bushaltestelle. »Ich konzentriere mich auf den Damm, manchmal muß ich husten oder ein Niesen simulieren, um ihn zu lokalisieren. Dann stelle ich mir vor, wie sich der Beckenboden in alle Richtungen ausdehnt, wie ein flacher Stern, ich spüre diesem Stern nach, und er wird jeden Tag ein bißchen großflächiger.«

Margrits Gang hat sich auffallend verändert. Sie schiebt das Becken nicht mehr wiegend vor sich her. Sie geht aufrecht, »Freunde finden, ich sei gewachsen«, der Schritt ist leichtfüßig, tänzerisch und flink. An Operation denkt Margrit nicht, »ich weiß, die Knickung der Gebärmutter kann sich nicht verschlimmern, die ziehenden Schmerzen sind weg. So kann ich leben, und sollte sie sich in den nächsten Monaten zurückbilden, so überrascht mich das nicht.«

Margrits »Wonderbra«

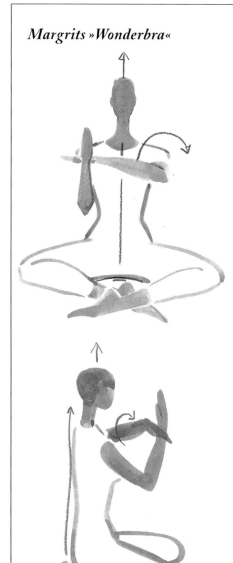

Schneidersitz einnehmen. Beckenboden anspannen. Steißbein und beide Sitzknochen fest im Boden verankern. Scheitel langziehen. Schultern bewußt entspannen, lassen Sie auch die Oberarmkugel schwer werden. Den rechten Arm seitlich am Körper anwinkeln, die Hand auf Kinnhöhe zur Decke gerichtet. Den linken Arm waagerecht auf Schulterhöhe anwinkeln, das linke Handgelenk innen an das rechte Handgelenk legen. Schultern zurücksetzen, fallen lassen und breit machen. Jetzt mit dem linken Handgelenk gegen das rechte und mit diesem gleichzeitig zurückstoßen. Diese isotonische Kontraktion mit einem ganz feinen Puls halten, langsam bis hundert zählen. Der Beckenboden zählt mit, Sie ziehen ihn mit jeder Zahl, die Sie laut sagen, sehr kräftig zusammen. Achtung: Der Rücken bleibt während der ganzen Übung gerade und gedehnt. Armpositionen wechseln. Wiederholen. Auf der einen Seite wird die Armmuskulatur tonisiert, auf der anderen die Aufhängemuskulatur des Busens – vorausgesetzt, die Schultern sind entspannt und zurückgesetzt.

Die Unabhängige

»Jetzt habe ich ihn.«

»Nein, doch nicht. Aber jetzt.«

»Doch, jetzt, da ist er. Das muß er sein.«

Christine auf der Jagd nach dem Beckenboden. Mit vollem Ehrgeiz. Wäre doch gelacht. Ist ja an sich eine Zumutung, daß da eine kommt und ihr sagt, sie habe den Kontakt zum Beckenboden verloren. »Beim Sex habe ich übrigens keinerlei Probleme«, läßt sie die Klasse denn auch unmißverständlich wissen. Aber dieser vertrackte Beckenboden – ist er es nun oder ist er es nicht?

Christine: 57, schlank, wohlgeformt, sehr diszipliniert im Essen. Der Körper ist ihr wichtig, »ich bin eine Ästhetin«, sie unternimmt viel für die Schönheit. »Und trotzdem hatte ich plötzlich das Gefühl, mein Körper zerfalle.«

Christine unterhält eine schwierige Ehe zu einem introvertierten, hochintellektuellen Mann, Professor in Physik an der Universität. Sie hat drei Kinder großgezogen, eines davon ist behindert. Sie selbst ist erfolgreich als Innenarchitektin. Die Mutter ist seit Jahren auf Hilfe angewiesen, aber in ein Altersheim soll sie nicht. Irgendwie schafft es Christine, für die Mutter, die in der Nähe wohnt, täglich zu kochen, sie täglich im Rollstuhl spazierenzufahren. Nebenbei ist Christine eine großartige Gastgeberin, kulturell immer auf dem neuesten Stand, ihr entgeht kein gutes Buch, sie hat jedes gute Theaterstück der Saison gesehen, Konzerte hört sie im Abonnement, ihre Liebe gehört der Musik von Gustav Mahler.

Muß erwähnt werden, daß Christine immer frisch frisiert ist, immer bezaubernd angezogen, immer perfekt geschminkt?

Diesem perfekten Ehrgeiz soll sich jetzt der Beckenboden unterordnen. Aber augenblicklich.

Christine macht einen sogenannten Flachrücken. Wie ein Brett stehen in der Taille die Wirbel heraus. Das verursacht Kreuzschmerzen, »aber kein Arzt ist fähig, eine anständige Diagnose zu stellen«. Therapien brachten kurzfristig Erleichterung, nachhaltig half nichts. »Sobald ich mich entspanne, kommt der Schmerz.«

Ich bitte Christine, vorzuführen, was sie unter Entspannung versteht. Sie fläzt sich auf einen Sessel, meint mit Trotz in der Stimme: »So, so bin ich entspannt.« Etwa so entspannt wie ein Mehlsack, in der Tat.

Es dauert Wochen, bis Christine bereit ist, ihre Auffassung von Entspanntsein aufzugeben und die Idee der aktiven Entspannung zu akzeptieren: Beckenboden in Aktion, Rücken lange und gedehnt, Kopf hoch und leicht, Scheitel aufgehängt. »Das Tiger Feeling«, sagt Christine auch prompt, »fühlt sich wunderbar an, aber so kann ich doch nicht sitzen.«

Sie muß. Ist der Rücken erst mal deformiert, so gibt es keinen anderen Weg, als die Kontrolle über den Körper auch in der Entspannung zu bewahren. Der Zustand der vollkommenen Unversehrtheit kann nicht zurückgewonnen werden. Der koordinierte und artgerechte Umgang mit dem Körper führt zur Schmerzfreiheit. Nachlässigkeit, Unachtsamkeit bringt die Beschwerden zurück.

Nach einer Operation an den Kreuzbändern hat Christine auch im linken Knie regelmäßig Schmerzen. Sie kompensiert, indem sie das rechte Bein und damit auch die rechte Hüfte und den rechten Fuß viel stärker belastet. Sie lernt, diese Kompensationen durch den Gebrauch des Beckenbodens auszugleichen. Der Schritt wird weicher. Eines Tages zeigt Christine, wie sie mit dem Mittelfuß aufsetzt und nicht mehr militärisch hart mit der Ferse.

Diese neue Weichheit nimmt über die Monate vom ganzen Körper Besitz, sogar die Mimik wird weicher. Ihre Familie habe den Wandel bemerkt, bevor sie selbst ihn gespürt habe. »Ich bin immer so verbissen und ehrgeizig, daß ich noch nicht mal merke, wann der Erfolg einsetzt.« Zur Zeit arbeitet Christine aktiv an Entspannung und Entkrampfung der Schultern, des Nackens, des Kopfs.

»Seit ein paar Wochen knirsche ich nachts nicht mehr mit den Zähnen, und die Spannungskopfschmerzen sind verflogen«, berichtet Christine, sie halte auch viel mehr Streß aus, sei nicht immer gleich so verspannt. Befragt, woher denn ihre Ruhe komme, sagt Christine: »Aus dem Beckenboden. Woher denn sonst.« Wenn jemand über diese Antwort lacht, erhält er von Christine mit missionarischem Eifer den Beckenboden erklärt, verbal, »notfalls auch handgreiflich«.

Christine akzeptiert inzwischen auch, daß sie nichts forcieren kann. Wenn sie übermäßig trainiert, spürt sie die Ansätze der Beinmuskulatur schmerzhaft, vor allem am ramponierten Knie. Die meiste Zeit läßt sie ab von ihrem Ehrgeiz. Und wenn sie doch wieder einmal zu schnell zuviel will, so trägt sie es »mit Fassung«, mit jener unerschütterlichen Tapferkeit, die sie zur Bewältigung ihres Alltags braucht. »Eines Tages, eines schönen Tages, das verspreche ich Ihnen, werde ich alles ganz leicht nehmen.« Das Paradoxe an diesem Versprechen fällt ihr selbst auf, Christine lacht laut und herzhaft.

Gegen Christines Flachrücken

Auf Armdistanz vor einer solide verankerten Stange oder einem Treppengeländer stehen. Stange halten. Die Füße stehen hüftbreit auseinander, Großzehengelenk und Außenkante Ferse gut geerdet.

Leicht in die Knie gehen, Beckenboden aktivieren und den Rücken flach nach hinten strecken.

Jetzt versuchen, den Beckenboden noch mehr anzuspannen, den Scheitel aus dem Steißbein heraus lang und länger ziehen.

Jeden Wirbel einzeln entspannen. Das Steißbein wie einen Schwanz nach hinten verlängern.

Diese Dehnung so lange wie möglich halten. Wer einen Flachrücken hat, sollte in dieser Position das Gefühl haben, ein leichtes Hohlkreuz zu machen.

Die Gestählte

Gabriella ist Physiotherapeutin. Sie kommt mit einem richtig sauren Gesicht ins Beckenbodentraining. Gefragt, was ihre Laune denn so nachhaltig verderbe, reagiert sie mit Humor. »Ja«, sagt sie, »ich betrachte es als persönliche Beleidigung, daß ich zu einer anderen Therapeutin muß, um meinen Beckenboden kennenzulernen.« Das Eis ist gebrochen.

Gabriella ist 29 und ein Kraftwerk. Hals, Rücken, Bauch, Gesäß, Beine – alles ist sehr muskulös. Dafür hapert's mit der Beweglichkeit. Das Skelett ist wie in einem steifen Korsett gefangen. Um überhaupt an den Beckenboden heranzukommen, muß Gabriella erst mal das Gesäß entspannen.

»Wie soll das denn gehen? Der Beckenboden und das Gesäß gehören zusammen. Das eine ist ohne das andere nicht zu haben.« Schon stehen wieder mißlaunige Falten auf der Stirn. Ein weitverbreiteter Irrtum! Po anspannen und fest zusammenkneifen ist in den meisten Gymnastikstunden die Regel, für Übungen am Boden wird zugleich auch noch der Rücken zu Boden gedrückt. Weil es so furchtbar anstrengend ist, wird es für richtig befunden. Ohne Schweiß kein Preis.

Gabriella ist diszipliniert und fleißig. Zwar gefällt ihr das Resultat ihrer Mühe auch nicht recht, »das Gesäß ist viereckig und voller Dellen, die Oberschenkel sind steinhart, aber wenn ich nicht so regelmäßig trainieren würde, so wäre das alles schlaff und noch viel unansehnlicher«. Wie die meisten Frauen hat Gabriella in ihrer Selbstkritik den Hang zur Übertreibung, ihr Körper ist nicht unansehnlich, im Gegenteil. Nach einigen Entspannungsdehnungen schafft sie es, die Muskulatur lockerzulassen, nur so kann sie mit dem Beckenboden Fühlung aufnehmen. Es fällt Menschen mit anatomischen Kenntnissen und therapeutischen Berufen nicht unbedingt leichter, den tragenden Boden zu aktivieren. »Mir ist die Gewohnheit, das Gesäß anzuspannen und das Becken nach vorn zu drücken so in Fleisch und Blut, ich muß mich richtig umprogrammieren«, bringt sie selbst die Herausforderung auf den Punkt. Wir wissen alle, wie schwierig es ist, eine eingespielte Gewohnheit loszuwerden. Das braucht seine Zeit. Die Disziplin und die Portion Ungeduld werden ihr bei der Umstellung helfen. »Das neue Muster fühlt sich soviel besser an«, sagt Gabriella, »mein Körper weiß, es ist das tauglichere Muster, das ist die beste Motivation.«

Der Beckenboden bildet Ursprung oder Ansatz für alle wichtigen Muskelgruppen der Beine, der Hüften, des Rückens und des Bauches. Frauen, die vor allem die äußerste Schicht der Muskeln auf Masse trainiert haben, erleben allerlei Überraschungen, wenn sie den Beckenboden trainieren. Auch Gabriella. Irritiert berichtet sie: »Ich habe Muskelkater. Echten Muskelkater. Und zwar an Stellen, die ich noch nie bewußt gespürt habe. Kaum zu fassen, ich hielt mich doch für absolut topfit!«

Tatsächlich spürte die Physiotherapeutin die tiefsten Muskelschichten, die das Skelett zusammenhalten und den Körper formen. Der Entwicklungsschmerz imponierte Gabriella. Sie lernte die Muskelschichten schnell zu unterscheiden. Jetzt hat sie die Kraft aus der Tiefe. Die »verpackenden« Muskeln unter der Haut sind weicher, geschmeidiger, elastischer geworden. »Ich finde meinen Körper jetzt in der Form viel harmonischer als früher, mit den harten, verkürzten Muskelpaketen«, bemerkt Gabriella zufrieden.

Gabriellas Beckenbodenmeditation

Bequeme Rückenlage, Beine angewinkelt, Füße hüftweit auseinander. Legen Sie die Hand in den Schritt. Ganz leicht und locker. Versuchen Sie, einen Dialog zwischen Hand und Geschlecht aufzubauen. Der Psychotherapeut und Meditationslehrer Rüdiger Dahlke bringt den Entspannungssuchenden bei, wie die Hand lächeln lernt. Versuchen Sie's doch einfach. Vielleicht lächelt das Geschlecht zurück.
Versuchen Sie, die ganze, flache Hand in den Körper zu saugen. Wenn Sie am Damm wirklich einen kleinen Sog spüren: Gratulation! Das ist's. Jetzt müssen Sie nur noch fleißig trainieren, und dieser kleine, anfangs fast unmerkliche Sog wird innerhalb von wenigen Tagen sehr powervoll.

Zur Entspannung des Rückens

Bequem auf dem Rücken liegen. Beine angewinkelt. Füße hüftweit auseinander. Der Rücken sinkt entspannt und schwer in die Unterlage. Noch mehr entspannen. Noch mehr einsinken. (Einsinken, nicht runterdrücken!) Auch der Bauch ist vollkommen entspannt und sinkt durch den Rücken in den Boden.

Jetzt spannen Sie den Beckenboden an. So fest es nur irgendwie geht. Wenn Sie spüren, wie sich die Basis des Gesäßes einmischt, und wenn Sie das Gefühl haben, Ihr Gesäß- und Ihre Oberschenkelmuskulatur werde von einer unsichtbaren Kraft in den Damm gezogen – das ist gut. So soll es sich anfühlen. Nun rollen Sie das Becken zum Nabel. Der Beckenboden bleibt gespannt, das Schambein ist der höchste Punkt. Stellen Sie sich vor, die Wirbelsäule sei eine Hängebrücke, am obersten Punkt des Schambeines beginnend. Ziehen Sie diese Hängebrücke Richtung Nabel – spüren Sie, wie sich Wirbel um Wirbel völlig schwerelos vom Boden hebt.

Beim ersten Versuch kommen Sie wahrscheinlich nicht über die Lendenwirbel hinaus. Das ist in Ordnung so. Eines Tages werden Sie die ganze Wirbelsäule vom Boden heben können. Aber lassen Sie sich Zeit dabei.

Wenn Sie den der Tagesform entsprechenden höchsten Punkt erreicht haben: Ruhig und gelassen atmen. Den Beckenboden ein Viertel loslassen. Wieder kraftvoll anspannen, so daß sich das Schambein noch mehr zum Nabel rollt. Ein bißchen loslassen. Anspannen. Wiederholen, so oft Sie können. Nahziel sind hundert solcher Impulse.

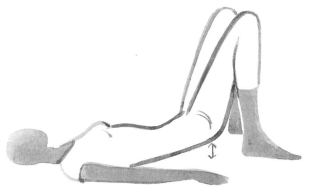

Die Schüchterne

Karin kommt ins Training, weil sie immer häufiger Schmerzen im linken Knie und in der linken Hüfte hat, beginnende Arthrose, sage der Arzt dazu, und weil die Mutter sich seit Jahren mehr schlecht als recht durchs Leben schleppt und sich die Großmutter mit über achtzig zum zweitenmal ein künstliches Hüftgelenk ersetzen lassen muß, möchte Karin vorsorgend tun, was möglich ist. Sie entschuldigt sich dafür, daß sie nicht so recht weiß, was und wo der Beckenboden ist. Bei ihnen zu Hause sei von solchen Sachen halt nicht gesprochen worden, sie sei sehr prüde erzogen worden. Es habe Jahre gedauert, bis sie es wagte, einen Tampon einzuführen, »alles, was da unten ist, galt bei uns zu Hause als unschicklich und abstoßend«.

Die Schüchternheit legt sich während der ersten Kontaktübungen, schließlich legt Karin entspannt eine Hand in den Schritt, um zu spüren, wie die Muskeln des Beckenbodens ausstrahlen.

Karin ist 37, geschieden, hat zwei Kinder. Sie arbeitet bei einer Agentur für Telefonmarketing, »da ist die Arbeitszeit sehr flexibel«.

Karin ist apart, blond, mit katzengrünen Augen, sie ist langbeinig und sehr feingliedrig. Viel Muskeltonus ist nicht vorhanden. Ihr Gewicht liegt mit fünfundvierzig Kilo bei 168 cm an der Grenze zur Anorexie.

Sie sei einmal dick gewesen, als Au-pair in den USA habe sie innerhalb kürzester Zeit fünfzehn Kilo zugenommen. Das werde ihr nie mehr passieren, sie habe jedes Gramm gehaßt, aber nein, magersüchtig sei sie nicht. Eine kurzfristige Bulimie bekam sie mit Hilfe einer Psychotherapie und einer neuen Liebesbeziehung in den Griff.

Im Laufe des Gesprächs berichtet Karin, sie leide unter Verstopfung und könne ohne Abführmittel nicht leben. Das Sexleben während der Ehe empfand sie als Folter, noch heute falle es ihr schwer, ihre Bedürfnisse und Wünsche zu äußern, dabei sei ihr jetziger Freund behutsam und zärtlich.

Was all das mit dem Beckenboden zu tun hat? Das weiß ich auch nicht so genau. So viele elementare Vorgänge des Lebens finden in dieser Körperregion statt – Verdauung, Ausscheidung, Zeugung, Schwangerschaft, Geburt. Belastendes macht uns Bauchweh oder liegt uns auf der Niere. Wir können aus Angst oder vor Lachen in die Hosen machen. Streß verursacht Durchfall, und manchmal fällt uns sogar das Herz in die Hose. Tatsache ist: Bei fast allen, egal ob Frau oder Mann, bricht durch das Beckenbodentraining Unbewältigtes, Belastendes, Verdrängtes auf, als werde es durch die neue Kraft an der Basis an die Oberfläche geschwemmt.

Wenn Ihnen bei der Rückeroberung des Beckenbodens Ähnliches passiert: Lassen Sie die Gefühle einfach zu, ohne zu werten. Lachen Sie, weinen Sie, seien Sie traurig, seien Sie euphorisch, aber rennen Sie nicht davon. Verweilen Sie bei der Übung, in der Position, die Gefühlswallungen sind erfahrungsgemäß von kurzer Dauer. Indem Sie Rückblenden zulassen und die dazugehörenden Gefühle durchleben, reinigen Sie das Kraftzentrum Beckenboden vom Ballast der Vergangenheit.

Karin empfindet die Lektionen befreiend. »Es ist wie Meditation«, berichtet sie nach ein paar Wochen, »jeden Morgen nach dem Aufwachen mache ich ein paar Übungen. Es ist, als könnte ich die Kraft bewußt im Becken sammeln. Es ist, als könnte ich mit den verschiedenen Muskelschichten auch verschiedene Seelenschichten freilegen und aufarbeiten.« Karin hat nun auch viel Lust an Bewegung, sie geht mit den Kindern und dem Freund mit Skiern und Snowboard in den Schnee, im Sommer spielt sie Tennis, macht lange Touren mit dem Mountainbike.

Nur einmal rief mich Karin außer sich vor Aufregung an: Sie habe zwei Kilogramm zugenommen! Zwar spanne keine Hose, sie fühle sich auch nicht dicker, aber die Waage sage klar und deutlich: zwei Kilo mehr. Ob das mit dem Beckenboden zu tun habe.

In der Tat hatte ich die Warnung vergessen, vielleicht, weil Karin mager ist: Ja, Gewichtszunahme durch das Beckenbodentraining ist möglich. Muskeln sind schwerer als Fett, wenn jahrelang brachliegende Muskeln trainiert werden, baut sich in ihnen Fett ab. Aber zwei Kilo zusätzlich kommen erst zustande, wenn jemand gleichzeitig viel Sport betreibt und sich so der Fettanteil am ganzen Körper verringert und Muskelfasern aufgebaut werden.

Karin lachte erleichtert auf, »mit anderen Worten: Selbst eine so unparteiische Sache wie die Waage ist im Grunde relativ«. Sie nimmt sich vor, sich aus der Tyrannei der Waage zu befreien und künftig das Wohlgefühl als Indikator zu nehmen. »Und die engste Hose. So lange ich da bestens hineinpasse, kann ich ja nicht richtig zugenommen haben.« Wer bewußt einen Sport zum Muskelaufbau betreibt, kennt das Phänomen, es schwinden die Polster, es steigt das Gewicht. Gerade Frauen, die in die Wechseljahre kommen, könnten von dieser physikalischen Gleichung profitieren: Muskel ist schwerer als Fett. Alternde Muskeln sind meist von Fett durchsetzt. Es ist nie zu spät, Fett ab- und Muskeln aufzubauen. Noch ist Sport bei uns auf die Jugend ausgerichtet, Es gibt kaum Fitneßstudios, in denen sich auch nicht mehr ganz junge Frauen angenommen, aufgehoben fühlen und gut beraten sind.

Karins Kontaktübung

Setzen Sie sich auf eine mehrfach gefaltete
Matte, auf ein nicht zu weiches Kissen oder einen Gymnastikball. Beine vor sich angewinkelt
oder im Schneidersitz. Machen Sie den Rücken
lang und gerade, stellen Sie sich vor, Sie seien am
Scheitel aufgehängt, an einer rosaroten Wolke.
Nacken entspannt nach hinten und oben »ziehen«. Kinn entspannt fallen lassen und nicht
nach vorne schieben! Das verursacht das Doppelkinn. Schultern nach hinten-unten-außen fallen
lassen.
Schieben Sie die Hände zwischen Gesäß und
Unterlage. Nur zu, beherzt zufassen! Nun tasten
Sie nach den beiden Sitzknochen, wahrscheinlich
ist der Mittelfinger am nächsten. Schieben Sie
mit den Händen diese Sitzknochen näher zueinander, spannen Sie dabei den Beckenboden an.
Lösen. Anspannen. Lösen. Anspannen. Ach ja,
die Hände können Sie jetzt wieder rausziehen.
So ist's bequemer.
Wenn Sie die Hände auf dem Rücken auf die
Beckenschale legen, können Sie spüren, wie sich
der untere Rücken weitet und öffnet. Die Sitzknochen agieren wie ein Trichter: Werden sie enger zusammengezogen, öffnet sich der Beckenraum oben.

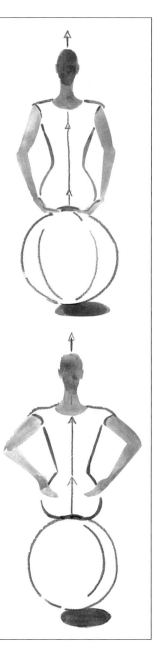

Karins Lieblingsübung für die Hüften

Auf der linken Körperseite am Boden liegen. Den Oberkörper aus der Taille langziehen, den Scheitelpunkt zum Himmel dehnen. Beide Beine im rechten Winkel vor dem Körper anwinkeln.

Beckenboden anspannen, Oberkörper noch mehr langziehen. Die rechte Hüfte ganz leicht nach vorne schieben. Beckenboden noch mehr aktivieren und nur mit dem Beckenboden das rechte Bein heben, anfangs auf Hüfthöhe, später, wenn Sie mehr Kraft haben, so hoch wie möglich. Der Fuß baumelt völlig entspannt am Bein, und zwar tiefer als das Knie steht.

Aus dem Beckenboden das angezogene Bein spiralig verschrauben: Den Beckenboden noch mehr anziehen, ein klein wenig lösen, anziehen, lösen. Richten Sie Ihr Tempo nach dem Herzschlag. Die Bewegung setzt sich in sanfter Welle aus der Hüfte fort bis in die Ferse und fließt zurück. Wenn Sie die Bewegung mit dem Fuß machen wollen: Stellen Sie sich vor, die Ferse sei bleischwer, so schwer, daß Sie sie unmöglich bewegen können.

Um den Oberkörper richtig mitzudehnen, können Sie den rechten Arm über dem Kopf ausstrecken und sich vorstellen, ein Marionettenfaden ziehe Ihren Mittelfinger lang. Etwa hundert Impulse aus dem Beckenboden durchs Bein senden. Seite wechseln.

Diese Übung kräftigt nicht nur den Beckenboden, sondern formt auch einen schönen Po.

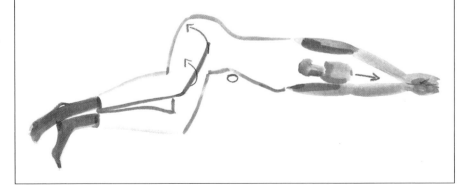

Die Sinnliche

Sie ist alterslos. Ihr großzügig geschnittenes Gesicht, der volle Mund, die weit geöffneten Augen überspielen die Fältchen. Die paar Pfund zuviel polstern Stirn, Wangen und Hals angenehm. So ist die Sinnliche, so ist das auch bei Clarissa. Sie geht auch mit über fünfzig – das genaue Alter ist ihr Geheimnis – hüftschwingend und lockend, mit leicht vorgerecktem Unterleib, geschmeidig und weich. Niemand zweifelt, wenn sie aus ihren Zeiten als große Männerverführerin berichtet. Clarissa ist sehr beweglich und dehnbar, Kraft ist nicht viel vorhanden. In der letzten Zeit seien die Hüften und Oberschenkel auseinandergegangen, klagt Clarissa. Sie besitzt einen schmucken Kosmetiksalon, und da ärgert es sie natürlich besonders, daß sie nicht die beste Reklame für die Massagen und Cremes ist, die sie gegen überflüssige Pölsterchen und gegen Orangenhaut verkauft.

»Ich habe ja nun weiß Gott alles für die Figur getan«, so Clarissa, »habe jede Methode ausprobiert, ich habe ein Vermögen in meine Figur gesteckt. Und jetzt bin ich am gleichen Punkt wie all die Frauen, die ihr Lebtag nichts für das Aussehen taten.« Wie steht's mit Diäten? Sie müsse zu ihrer Schande gestehen, bis ungefähr Vierzig habe sie jede Wunderdiät ausprobiert, mit dem typischen Jojo-Effekt: Fünf Kilos runter, sieben Kilos rauf, und als Lohn Verdauungsbeschwerden für immer. »Einmal fastete ich mich innerhalb von drei Tagen mit Ananas und Ahornsirup in ein Ballkleid – und brach prompt zusammen. Das brachte mich wieder zur Vernunft, lieber fit und leistungsfähig als gertenschlank und krank.« Sie passe schon auf, zwischendurch müsse sie ihren süßen Zahn bezähmen, um nicht ganz aus den Fugen zu geraten, aber ihr Mann habe glücklicherweise eine Schwäche für Mollige. Gegen die Anlage könne ja ohnehin nichts gemacht werden, wer die Tendenz zu Bauch oder schweren Hüften habe, der müsse sich damit abfinden – oder zum Schönheitschirurgen gehen.

Clarissa hat »versteckte X-Beine« wie sehr viele Frauen. Hohlkreuz, die Beine von klein auf mädchenhaft und keusch geschlossen, später elegant gekreuzt, immer auf einen schmalen Gang bedacht, am liebsten mit Stöckelschuhen, hat sie heute ihre liebe Mühe, einfach hüftbreit dazustehen, mit Fuß, Knie, Hüfte in einer schönen Geraden. Durch das stete leichte Einknicken auf die Innen-kante hat sie Senkspreizfüße. Sie hatte sich auch schon einmal den Knöchel ge-brochen.

Clarissa steckt in einem Dilemma: Sie möchte die Hormontherapie gegen die Beschwerden der Wechseljahre absetzen, hat aber Angst vor Osteoporose, der Arzt jagte ihr diese Angst ein. »Sagen Sie mir, was ich machen soll und bitte haargenau«, fordert Clarissa in autoritärem Ton. »Welche Übungen brauche ich, wie oft muß ich trainieren?«

Der Beckenboden ist bei Clarissa leicht zu aktivieren, »ach, die Muskeln brau-che ich doch beim Liebesspiel«. Und wie sie daliegt und still in sich hineinlacht, hätte sie es im Harem bestimmt zur Lieblingsfrau des Palastherrn gebracht. Vor dem Spiegel sieht sie, wie der Einsatz des Beckenbodens ihre Silhouette von einer Sekunde auf die andere stromlinienförmig verändert.

»Also, wie oft mache ich das?«
»Immer.«
»Was, immer?«
»Tagaus, tagein.«
»Ich kann doch nicht mit angespanntem Beckenboden herumlaufen!»
»Mit angespanntem nicht, aber mit aktivem Beckenboden.«

Das zu verstehen, fällt Clarissa schwer, sie möchte lieber ein Rezept: Morgens und abends auf nüchternen Magen zwei Tabletten auftragen, die Augenpartie aussparen. Mit Hugo, dem Skelett, demonstriere ich, wie der Beckenboden als Grundlage der Versicherung gegen die Osteoporose wirkt: Gespannt wie ein Trampolin kann die Wirbelsäule von diesem Pol aus optimal gedehnt werden. Dabei werden im Alltag kostbare Rückenmuskeln trainiert, beim Sitzen, Ge-hen, bei der Arbeit, ja sogar im Liegen. Eine durch Muskeln gut gestützte, ge-schmeidige, dehn- und drehbare Wirbelsäule macht Bewegung zur Freude. Wer sich gern bewegt, bewegt sich viel öfter. Ein Körper in Bewegung ist bes-ser durchblutet, nimmt mehr Sauerstoff auf. Und so halten sich die Knochen jung und elastisch. Also gut, verspricht sie schließlich, den Versuch sei es wert, sie trainiere den Beckenboden drei Wochen lang, aber wenn er sich dann nicht von selbst melde, und wenn sich der versprochene Bewegungsdrang nicht einstelle, verliere sie die Geduld.

Was Clarissa macht, macht sie mit Disziplin und Eifer. Der Erfolg konnte nicht ausbleiben. Schon nach drei Wochen fragten sie Kundinnen, ob sie abgenommen habe, sie sehe toll aus, und ihr Gang sei so beschwingt. Die Füße schmerzten nach dem langen Arbeitstag viel weniger, und Clarissa spürte ihren Beckenboden während des Tages immer bewußter, »vorausgesetzt, ich saß oder stand aufgerichtet, spürte ich ihn beim Lachen oder beim Husten, dann auch beim Gähnen, ich merkte, wie der Beckenboden reagierte, wenn mir jemand eine anrührende Geschichte erzählte. Dann meldete er sich plötzlich beim Hinsetzen und Aufstehen und beim Treppensteigen.« Beflügelt durch den Erfolg ließ sich Clarissa von mir ein kurzes Übungsprogramm auf den Leib schneidern, »lieber dreimal in der Woche zwanzig Minuten als zweimal eine Stunde«. Diese Routine hat sie fest in ihren Wochenablauf eingebaut, in einem Catsuit im Tigerdruck. Ihr Ehemann freut sich riesig, weil sie ihn immer öfter auf den ausgedehnten Bergtouren begleitet, die sie früher so haßte, »bergauf ging ja, aber am Abend, der Abstieg, der war tierisch. Mir taten noch tagelang alle Knochen weh.«

Alle paar Monate kommt Clarissa für ein, zwei Privatstunden, »zum Auffrischen und damit sich keine Fehler einschleichen«. Clarissa hat an realem Gewicht leicht zugenommen, trotzdem kauft sie ihre Kleidung eine ganze Nummer kleiner. »Ich fühle mich größer, merke, wie durch die Optimierung meiner Haltung das Hohlkreuz immer weniger wird und sich dadurch sogar mein hervorstehendes Bäuchlein verringert.« Richtig stolz ist Clarissa auf das Körpergefühl, das sie entwickelt, »plötzlich spüre ich, wie die Gelenke, Sehnen, Muskeln zusammenhängen und zusammen arbeiten. Ich kann die Wirkung des Beckenbodens bis zum Hals spüren.« Vergesse sie den Beckenboden, falle sie zurück ins Hohlkreuz, das Hohlkreuz stauche die Wirbelsäule bis zum Scheitel, der Nacken verspanne sich fast augenblicklich. »Spätestens jetzt geht der innere Alarm los, Beckenboden anspannen, Wirbelsäule langziehen, in die Länge und Leichtigkeit hinein entspannen.«

Clarissas Allesdehner

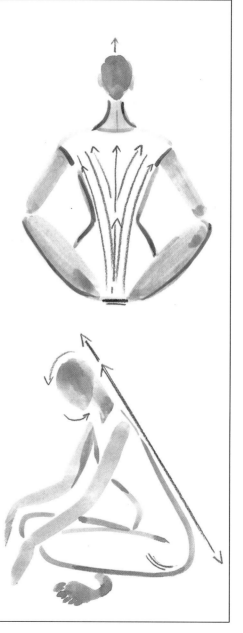

Schneidersitz einnehmen, auf dem Boden, einer Matte, einer Matratze. Beckenboden kräftig anspannen. Steißbein und Sitzknochen fest im Boden verankern. Arme entspannt fallen lassen. Scheitel langziehen. Wirbel um Wirbel aus dem Steißbein ziehen und in den Himmel wachsen lassen. Wenn Sie den Rücken nicht mehr dehnen können: Kopf hinter dem Ohr leicht und eng am Oberkörper einrunden. Beckenboden noch mehr anspannen, den Scheitel noch länger ziehen. Diese wundervolle Spannung halten.

Das Kinn zart nach rechts drehen, die Zugspannung zwischen Scheitel und Steißbein muß dabei unbedingt erhalten bleiben. Dehnung einen Moment halten, Kinn langsam, bewußt und aus der Dehnung heraus nach links drehen, einen Moment halten. Auf jeder Seite fünfmal. Steigerung: Folgen Sie dem Kinn mit dem Brustkorb, wenn Sie sich seitwärts drehen. Der ganze Brustkorb kann sich drehen wie ein Drehrestaurant auf dem Fernsehturm ...

Die Übungen

Die Übungen sind in verschiedene Phasen eingeteilt. Wenn Sie keine Ahnung haben, ob und wie Sie Ihren Beckenboden finden: Fühlen Sie sich wie Christoph Kolumbus und freuen Sie sich auf die Entdeckungsreise. Phase eins zeigt Ihnen sanfte Wege direkt und schnell zum Ziel.

Phase zwei bringt Ihnen alltägliche Situationen ins Gedächtnis, bei denen der Beckenboden wahrgenommen und eingesetzt werden kann. Immer wieder, so ganz beiläufig. Für belebende kleine Pausen in der Tageshektik.

Die übrigen Phasen können Sie der Reihe nach durcharbeiten oder nach Lust und Laune mischen. Sie können sich ein Programm zusammenstellen, das Sie zu Ihrer Fitneßroutine machen. Sie können je nach Situation Übungen herauspicken, die Ihr spontanes Bedürfnis nach Entspannung, Kraftzuwachs, Stimulation stillen. Eines Tages werden Sie zufrieden feststellen, wie Sie den Beckenboden in alle Bereiche Ihres Lebens eingebaut haben – in den Büroalltag, in die Hausarbeit, in die Fitneßroutine. Dann ist es Zeit, dieses Buch weiterzuschenken.

Phase 1 – Annäherungsversuche

Kontaktaufnahme

Legen Sie sich bequem hin, wo, ist egal: Bett, Liegestuhl, Sofa, auf eine weiche Unterlage auf dem Boden. Nackt, im bequemen Pyjama oder in Unterwäsche, die nicht einengt.

Legen Sie Ihre Hand locker auf Ihr Geschlecht, die Kuppe des Mittelfingers genau über dem Damm.

Drücken Sie mit dem Finger ganz zart auf den Damm und versuchen Sie, diesen mit einer kraftvollen Muskelkontraktion in den Körper zu ziehen. Jede noch so kleine Reaktion ist gut. Wenn der Punkt reagiert, dehnen Sie ihn sternförmig nach allen Seiten aus – über die Harnöffnung zum Schambein, über den Anus zum Steißbein, zur Seite, bis Sie zarte kleine Muskelzuckungen in der Leiste spüren.

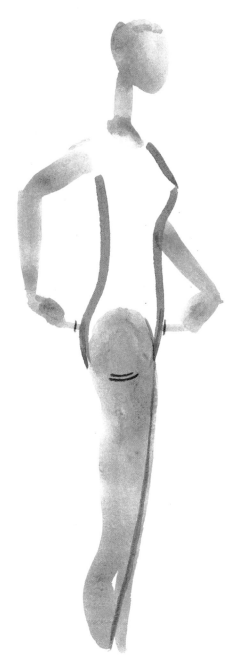

Die drei Schichten entdecken

Bereit für ein Erfolgserlebnis? Ertasten Sie den Effekt des Beckenbodens.

Die äußerste Schicht, zuständig für die Schließmuskeln der Ausscheidungsorgane, reagiert zuerst. Legen Sie einen Mittelfinger in die Mitte der Schamhaargrenze, gleich am Anfang des Schamhügels. Der Finger der anderen Hand setzt sich ganz zart an den Anfang der Gesäßspalte, über das Steißbein. Jetzt kontraktieren Sie den Beckenboden. Spüren Sie den zarten, aber bestimmten Zug unter Ihren Fingern? Applaus. Sie sind auf dem besten Weg, ein gutes Team zu werden, Sie und Ihr Beckenboden.

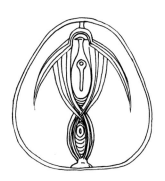

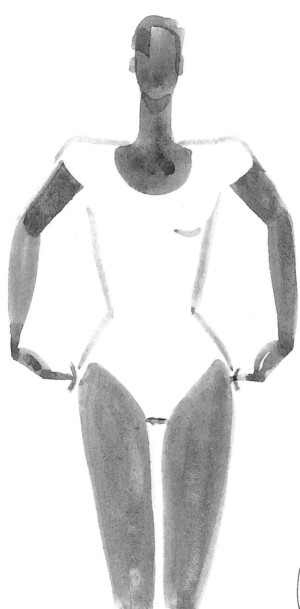

Die mittlere Schicht ist die delikateste. Sie bildet das eigentliche Trampolin, hält die untere Öffnung des ganzen Beckens zusammen, bildet eine Verstrebung zwischen den Hüftgelenken. Das können Sie spüren: Setzen Sie die Fingerspitzen auf jeder Seite an den Ansatz der Oberschenkel, genau über die Hüftgelenke, ganz ohne Druck. Jetzt aktivieren Sie den Beckenboden. Unter Ihren Fingern erfühlen Sie den Zug, den die fächerartigen Muskeln des Beckenbodens auslösen.

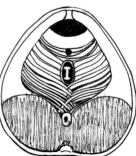

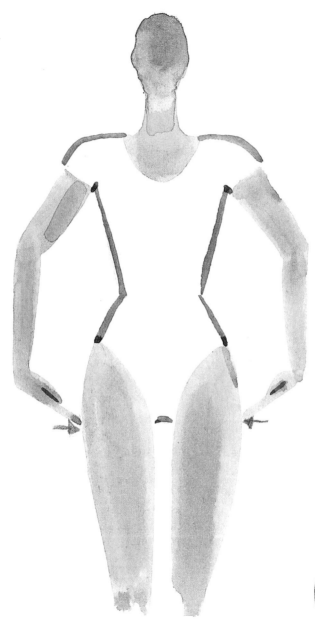

Die innerste Schicht ist die flächenmäßig größte. Sie hat auch den größten Einfluß auf die Haltung, auf die Aufrichtung der Wirbelsäule, sie beschert den Grundtonus und zieht die Beinmuskulatur stramm. Falls das für Sie noch immer unglaublich klingt: Dranbleiben und durchhalten, früher oder später, nach meiner Erfahrung mit Hunderten auf der Suche nach dem kleinen Beckenbodenglück eher früher, werden Sie spüren, daß diese geniale Tragkonstruktion bis in die Füße wirkt!

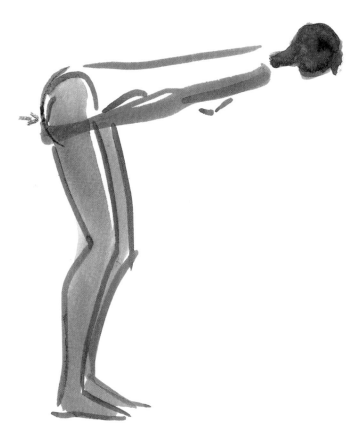

Stehen Sie mit den Füßen hüftweit auseinander. Ziehen Sie den Beckenboden zusammen, so gut es geht. Ziehen Sie am Scheitelpunkt die Wirbelsäule lang. Beugen Sie den Oberkörper mit geradem Rücken. Fassen Sie mit beiden Händen beherzt Ihre Gesäßbacken und suchen Sie die Sitzknochen. Gefunden? Drücken Sie die Kuppe der Mittelfinger kräftig darauf, aber passen Sie auf, daß Sie das Gleichgewicht nicht verlieren. Lassen Sie den Beckenboden los, ziehen Sie ihn wieder an. Wenn's klappt, spüren Sie sehr genau, wie sich die Sitzknochen näher zueinander bewegen.

Sie können das Gefühl steigern, indem Sie sich vorstellen, die beiden Sitzknochen seien mit einer großen Klammer zusammengeheftet. Ziehen Sie den Dammpunkt noch mehr an.

Kontrollpunkte

Die Sitzknochen sind im Alltag Ihre Referenzpunkte. Wenn Sie beim Gehen, Treppensteigen und immer öfter auch auf dem Bürostuhl eine kleine Kontraktion in oder unter den horizontalen Gesäßfalten spüren, fast so, als hätten Sie da hinten einen kleinen Knauf, so können Sie sicher sein: Ihr Beckenboden ist voll in Aktion.

Die Zeit der Unsicherheit können Sie abkürzen, indem Sie hin und wieder nachhelfen. Ideal sind Gymnastiksitzbälle, Meditationssitzkissen, nicht zu harte Sofas, das leichte Federn verschafft Ihnen ein Erfolgserlebnis und ist außerdem nicht schmerzhaft. Setzen Sie sich hin, schieben Sie die Mittelfinger unter die Sitzknochen und ziehen Sie diese mit einer entschlossenen Kontraktion zusammen. Sehen Sie, es ist doch so einfach!

Noch einfacher ist es mit dem Tennisball: auf einen gepolsterten Stuhl legen, darauf setzen, so daß der Damm genau auf den Ball kommt. Durch die Stimulation reagiert der Beckenboden von selbst.

Ich habe eine chinesische Qi-Gong-Kugel aus Metall auf dem gepolsterten Bürostuhl und sitze mittlerweile mühelos stundenlang darauf. Sogar meine Konzentrationsfähigkeit verbessert sich dadurch.

Golden Gate Bridge

Bequem auf dem Rücken liegen. Beine angewinkelt. Füße hüftweit auseinander. Der Rücken sinkt entspannt und schwer in die Unterlage. Noch mehr entspannen. Noch mehr einsinken (Einsinken, nicht runterdrücken!). Auch der Bauch ist vollkommen entspannt und sinkt durch den Rücken in den Boden.

Jetzt spannen Sie den Beckenboden an. So fest es geht. Wenn Sie spüren, wie sich die Basis des Gesäßes einmischt, und wenn Sie das Gefühl haben, Ihre Gesäß- und Oberschenkelmuskulatur würden von einer unsichtbaren Kraft in den Damm gezogen – das ist gut. So soll es sich anfühlen.

Nun rollen Sie das Becken zum Nabel. Der Beckenboden bleibt gespannt, das Schambein ist der höchste Punkt. Stellen Sie sich vor, die Wirbelsäule sei eine Hängebrücke, am obersten Punkt des Schambeines befestigt. Ziehen Sie diese

Hängebrücke Richtung Nabel. Spüren Sie, wie sich Wirbel um Wirbel völlig schwerelos vom Boden hebt.

Beim ersten Versuch kommen Sie wahrscheinlich nicht über die Lendenwirbel hinaus. Das ist in Ordnung so. Eines Tages werden Sie die ganze Wirbelsäule vom Boden heben können. Aber lassen Sie sich Zeit dabei.

Wenn Sie den der Tagesform entsprechenden höchsten Punkt erreicht haben: Ruhig und gelassen atmen. Den Beckenboden ein Viertel loslassen. Wieder kraftvoll anspannen, so daß sich das Schambein noch mehr zum Nabel rollt. Ein bißchen loslassen. Anspannen. Wiederholen, so oft Sie können. Nahziel sind hundert solcher Impulse.

Cat Stretch

Vierfüßlerstand. Die Arme exakt unter den Schultern, die Knie unter den Hüften. Knie hüftweit auseinander. Die Arme und vor allem das Schultergelenk so entspannen, daß der obere Rücken flach wird.

Leicht ins Hohlkreuz. Den Beckenboden kräftig anspannen. Rücken entspannen. Stellen Sie sich Ihr Steißbein so schwer vor, als sei es mit Gold gefüllt, lassen Sie es zurückfließen.

Verlängern Sie den Rücken aus dem Kreuz in den Scheitel, entspannen Sie sich in die Länge. Jetzt machen Sie das gleiche Richtung Steißbein: In die Länge entspannen. Oder in die Entspannung verlängern. Wenn sich der Rücken gedehnt und schwerelos anfühlt, aktivieren Sie den Beckenboden noch mehr, als ob Sie mit einem Ruck die Sitzknochen zueinander ziehen möchten. Jetzt rollen Sie das Becken behutsam zum Nabel hoch, noch höher, und gehen so in den Katzenbuckel.

Die ganze Bewegung geht nur vom Beckenboden aus. Die Schultern bleiben entspannt und ganz ruhig, Kopf und Hals hängen entspannt herab.

Phase 2 – Gespür entwickeln

Ein Hatschi dem Wohlsein

Setzen Sie sich im Schneidersitz an eine Wand. Beckenboden aktivieren. Den Rücken von unten Wirbel um Wirbel an die Wand rollen. Auch die Halswirbel möglichst nahe an die Wand bringen. Kopf am Scheitel hochziehen und am goldenen Haken aufhängen. Achtung: Kopf nicht nach hinten fallen lassen, das staucht den Rücken!

Simulieren Sie ein Niesen, richtig schön heftig. Spüren Sie, wie der Beckenboden mitniest? Sie können steuern, ob er unter dem Druck nachgibt oder ob er sich kontraktiert und dabei die Organe im Bauchraum stützt und schützt.

Das gleiche erleben Sie mit Husten. Ein untrainiertes Trampolin hängt unter dem Druck durch, ein trainiertes kontraktiert und stützt so das Zwerchfell und die Organe.

Mit Rundrücken: Scheitel langziehen, Kopf hinter dem Ohr leicht nach vorne eindrehen. Wirbel um Wirbel nach vorn runden, am Brustbein zum Rücken hin einsinken, Schultern nicht hochziehen.

So, und jetzt versuchen Sie, in dieser geöffneten, runden Haltung zu niesen, husten, lachen. Zuerst mit inaktivem Beckenboden. Dann mit zusammengezogener Muskeldecke. Geht fast nicht? Stimmt. So rund und offen braucht es Bewußtsein und Kraft, den Beckenboden willkürlich zu aktivieren. Das bedeutet: Vollkommenes Gehenlassen mit rundem Rücken und offenen Beinen ist ein Ausnahmezustand – zum Beispiel beim Liebesspiel oder beim Gebären.

Richten Sie sich wieder Wirbel um Wirbel auf, niesen Sie, husten Sie, lachen Sie. Reagiert der Beckenboden wieder unwillkürlich und heftig?

Fußmalen

Für diese Übung brauchen Sie einen Bleistift, nicht zu kurz, und ein großes Blatt Papier.

Schneidersitz, Rücken aufgerichtet an der Wand oder vor einem Gymnastikball. Das rechte Bein liegt vorne. Klemmen Sie zwischen den großen und den zweiten Zehen den Bleistift. Mit der rechten Hand halten Sie das rechte Knie möglichst weit unten. Die ganze Außenkante des Fußes muß auf dem Boden liegenbleiben.

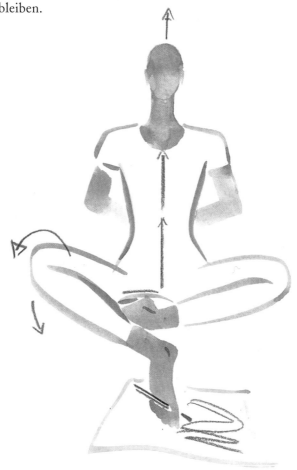

Jetzt versuchen Sie, auf dem Papier zu malen. Ganz ohne Ehrgeiz, bitte, wenn Sie gleich ein Selbstporträt aufs Papier zaubern können, so haben Sie mit jeder Garantie den Fuß zu weit abgehoben und auch das Knie zu hoch. Möglichst flach am Boden sind – außer bei Genies – nur Grashalme im Wind möglich.

Spüren Sie, wie der Beckenboden mitzeichnet? Und zwar einseitig nur rechts? Mit dem anderen Fuß wiederholen.

Verstehen Sie jetzt meine Vermutung, wir Frauen seien durch Verkrüppelung der Füße sexuell gefügig gemacht worden?

Sie können diese Übung auch frei machen, ohne sich anzulehnen. Dann trainieren Sie die wertvollen Rückenmuskeln gleich mit. Doch aufgepaßt: Der Rücken muß gerade, aufrecht, gedehnt sein, die Arme auf Schulterhöhe vor dem Körper in der Luft verschränken, damit sie nicht in Versuchung kommen, an den Fußgelenken Halt zu suchen.

Zehen-, Fersen-, Fußkantengang

Bewußtseinsübung, um zu spüren, wie der Beckenboden bis in die Füße wirkt: Durchqueren Sie den Raum auf den Innenkanten der Füße und versuchen Sie, den Beckenboden aktiviert zu lassen.

Machen Sie das gleiche auf den Fußaußenkanten, auf den Fersen und auf den Zehen.

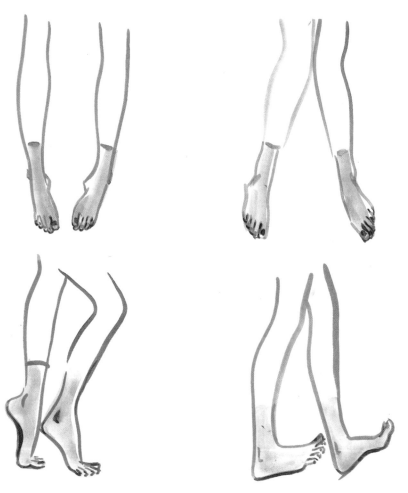

Handgreiflich

Setzen Sie sich auf eine mehrfach gefaltete Matte, auf ein nicht zu weiches Kissen oder einen Gymnastikball. Beine vor sich angewinkelt oder im Schneidersitz. Machen Sie den Rücken lang und gerade, stellen Sie sich vor, Sie seien am Scheitel aufgehängt, an einer rosaroten Wolke. Nacken entspannt nach hinten und oben »ziehen«. Kinn entspannt fallen lassen. Nicht nach vorn schieben! Das

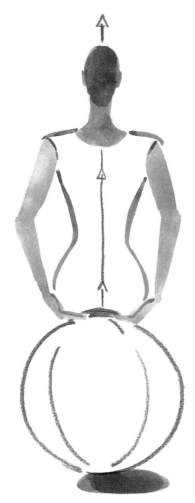

überdehnt die Haut und die Muskeln des Halse, verkürzt den Nacken und verursacht das Doppelkinn.

Schieben Sie die Hände von der Seite zwischen Gesäß und Unterlage. Nur zu, beherzt zufassen! Nun tasten Sie nach den beiden Sitzknochen, wahrscheinlich ist der Mittelfinger am nächsten. Schieben Sie mit den Händen diese Sitzknochen näher zueinander, spannen Sie dabei den Beckenboden an. Lösen. Anspannen. Lösen. Anspannen. Ach ja, die Hände können Sie jetzt wieder rausziehen. So ist's bequemer.

Wenn Sie die Hände auf dem Rücken auf die Beckenschale legen, können Sie spüren, wie sich der untere Rücken weitet und öffnet. Die Sitzknochen agieren wie ein Trichter: Werden sie enger zusammengezogen, öffnet sich der Beckenraum oben.

Phase 3 – In den Alltag einbauen

Aktives Sitzen

Stellen Sie sich vor ein Holzbänkchen oder einen Stuhl ohne anatomisches Relief. Setzen Sie sich einfach, wie Sie es immer tun. Was machen Ihre Hände dabei? Ihre Arme? Ihre Wirbelsäule? Die Knie? Helfen womöglich gar die Füße mit, indem sie auf der Innenkante balancieren?

Stehen Sie unbewußt auf. Wahrscheinlich spüren Sie jetzt schon intuitiv, daß allerhand unkoordiniert abläuft. Okay, bereit für ökonomisches, evolutionär ausgefeiltes Hinsetzen!

Füße hüftweit auseinander. Beckenboden anspannen. Knie über dem Mittelfuß, Oberschenkel schön gerade, vielleicht spüren Sie eine leichte Spannung in der Muskulatur oder gar im Oberschenkelknochen, schön, Sie sind auf dem besten Wege.

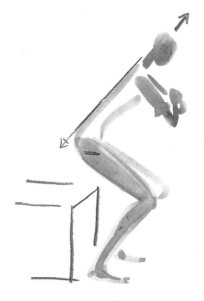 

Scheitel langziehen, Gesäß gerade nach hinten strecken, wenn Sie das Gefühl haben, das Kreuz sei hohl, ist es genau richtig – vorausgesetzt, der Hals ist immer noch lang und gerade, der Scheitel langgezogen. Wenn das Gesäß über dem Stuhl ist: Beckenboden noch mehr zusammenziehen und langsam senken. Platsch? Beim erstenmal macht's nichts, wenn's nur bei jedem Versuch besser wird.

Haben die Hände und die Schultern wieder mitgeholfen? Verschränken Sie die Arme leicht auf Schulterhöhe vor dem Körper und versuchen Sie, genau so aufzustehen, wie Sie sich setzten: Beckenboden aktivieren, Oberschenkel leicht nach außen drücken, die Füße dürfen den Bodenkontakt dabei nicht verlieren. Oberkörper gerade vorbeugen, Scheitel in die Verlängerung dehnen, mit der Kraft der Oberschenkel und des Beckenbodens aufstehen.

Sie ahnen die Absicht hinter dieser Übung: Der Alltag gibt Ihnen tausendfach Gelegenheit, ohne Aufwand etwas für Ihre Haltung, Ihren Muskeltonus und Ihr Wohlbefinden zu tun. Eigentlich ist es doch schade um all die verschenkten Gelegenheiten. Also – denken Sie ab heute mindestens einmal am Tag daran, aus dem Hinsetzen und dem Aufstehen eine Übung zu machen. Die neue, koordinierte Variante wird Ihnen in Fleisch und Blut übergehen, ohne daß Sie es merken.

Popolaufen

Auf dem Boden sitzen. Schneidersitz. Beckenboden anspannen, loslassen, anspannen, loslassen. Rücken ganz gerade, hochgezogen, bis zum Scheitel gedehnt.

Spüren Sie die Sitzknochen? Gut. Das linke Bein bleibt angewinkelt und völlig entspannt liegen. Das rechte Bein aufstellen. Jetzt den Beckenboden nur rechts anspannen. Aus dem Beckenboden das rechte Gesäß anheben. Jawohl, Sie lesen richtig, ein trainierter Beckenboden kann rechts und links unabhängig arbeiten und nimmt Ihnen beim Gehen, Rennen, Spazieren, Springen, Joggen, Hüpfen die ganze Arbeit ab.

Also, das rechte Gesäß mit dem rechten Teil des Beckenbodens heben. Dabei schiebt sich höchstwahrscheinlich die linke Schulter mit dem angewinkelten Arm leicht nach vorn. Ja? Wunderbar. Sie sind ein Beckenbodennaturtalent. Das ist die koordinierte, natürliche Verschraubung der Wirbelsäule beim Gehen.

Das rechte Gesäß absetzen. Beinstellung wechseln. Linkes Bein aufgestellt, rechtes entspannt angewinkelt. Und jetzt die linke Gesäßhälfte mit dem linken Beckenboden anheben.

Wenn Sie's richtig machen, schwankt der Oberkörper überhaupt nicht zur Seite. Ein verspiegelter Schrank im Schlafzimmer oder ein großer Spiegel, der bis zum Boden reicht, leisten gute Dienste: Sie können kontrollieren, ob Sie beim Wechsel von einer Seite zur anderen mogeln und seitlich ausweichen oder den Rücken runden und dabei zusammenstauchen.

Treppensteigen mit Beckenboden

Jetzt wird's für einen Moment kompliziert. Aber lohnend. Denn jetzt docken wir das Gedächtnis des Körpers an, irgendwo in der Hirnrinde suchen wir nach den evolutionären Folgen des aufrechten Gangs. Die erste Lektion: das Treppensteigen.

Sie stehen am Fuß der Treppe. Füße hüftweit auseinander. Der Beckenboden ist leicht aktiviert. Den rechten Fuß heben. Beckenboden auf dieser rechten Seite so stark anspannen, daß er das Bein trägt. Scheitel langziehen, Wirbelsäule dehnen, dehnen, dehnen. Den unteren Rücken auf der rechten Seite nach unten verlängern. Das geschieht einerseits, indem Sie entspannen, andrerseits, indem Sie mit dem Beckenboden und der Basis des Gesäßes einen Halbkreis nach hinten zu zeichnen versuchen.

Gleichzeitig kommt der Beckenkamm auf der linken Seite leicht hoch, das Becken verschiebt sich dabei etwas nach vorn. Erst jetzt den rechten Fuß auf der nächsten Stufe absetzen, gleichzeitig den linken Beckenboden anspannen, linken Fuß heben, Scheitel hochziehen, linken Rücken nach hinten halbkreisen, rechten Beckenflügel nach vorn bringen, linken Fuß auf die nächste Stufe heben.

Konfus? Das ist immer so, wenn ein einfacher, natürlicher Vorgang in Worte gekleidet werden muß. Befolgen Sie einfach ein paarmal wie ein gehorsames Kind die Anweisung Schritt für Schritt, dann legen Sie das Buch zur Seite, und Sie werden spüren, wie der Körper ganz von allein alles optimal macht.

Auch das ist eine Übung für den Alltag. Mit der Zeit wird die optimale Koordination des Oberkörpers dazukommen: Mit dem linken Bein wird der rechte Arm nach vorne schwingen, während sich zwischen Hals und Taille die Wirbelsäule spiralig verschraubt. Das ist die Hohe Schule, das ist ein anatomisches Meisterwerk in Bewegung umgesetzt, denn nur der Mensch beherrscht den Kreuzgang, den Tieren ist der Paßgang eigen.

Schauen Sie Weltklasse-Läufern zu, schon am Start sehen Sie, worauf es ankommt: Die Brustwirbel sind spiralig verschraubt, die Lendenwirbel sind stabil, die Wirbelsäule ist gedehnt, zu ihrer vollen Länge ausgezogen, der Scheitel ist in der Geraden immer der höchste Punkt. Wenn Sie die Bewegung des Siegers mit jener des letzten auf der Bahn vergleichen, so hatte der Verlierer bestimmt einen schlechten Tag, will heißen, eine nicht optimal koordinierte Haltung.

Fast Walking mit dem Beckenboden

Fast Walking ist eine tolle Gangart zur Fettverbrennung. Wenn Sie gleichzeitig auf Ihren Beckenboden achten und ihn tüchtig einsetzen, verwöhnen Sie Ihren Körper paradiesisch.

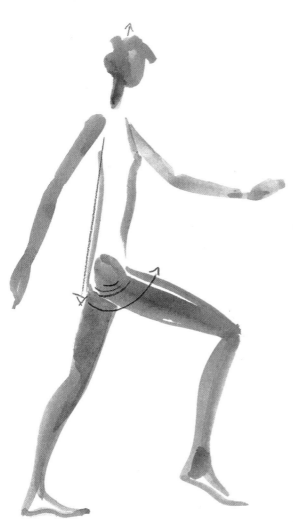

Rechtes Bein heben, rechten Beckenboden kräftig anspannen, rechten Rücken nach hinten-unten verlängern, linkes Becken vorne hochschieben, Fuß aufsetzen, abrollen, wobei Sie die Ferse möglichst lange am Boden lassen, mit den Zehen kräftig abstoßen, linkes Bein heben usw. Nach den ersten zwölf Schritten geht's von selbst. Scheitel bei jedem Schritt in den Himmel verlängern. Arme locker angewinkelt, sie schwingen frei mit, wenn sich die Wirbelsäule in sich spiralig verdreht.

Keine Angst, Sie müssen nicht bei jedem Schritt an all das denken. Ihr Körper wird sich zurückerinnern, genauso bewegte er sich im Kindesalter, und er wird das neue, mühelose und ästhetische Muster gern gegen die alte Gewohnheit austauschen. Sie werden sich fühlen wie ein junger Tiger!

Phase 4 – Des Rückens bester Freund

Beckenkreisen im Wasser

Nutzen Sie Ihren nächsten Urlaub am Swimmingpool oder Meer für verspielte Übungen im Wasser. Versuchen Sie, im Wasser zu gehen und malen Sie dabei mit den Hüften aufrechte Kreise, wie Sie beim Treppensteigen und beim Fast Walking beschrieben sind: Rechtes Bein heben für den ersten Schritt, Beckenboden anspannen, Rechte Hüfte nach hinten-unten schieben, linke Hüfte vorne hoch, so, als zeichneten die beiden Beckenhälften entgegengesetzte Kreise ins Wasser. Seite wechseln.

Kleine Kreise mit dem Beckenboden

Bei der kleinen Rast am Beckenrand: In Armdistanz vor die Stange (oder den Rand), Stange mit beiden Händen fassen, so weit es geht in die Knie gehen, den Rücken gerade nach hinten dehnen, Nacken lang machen, Scheitel nach vorn ziehen, Schultern nach hinten-unten-außen entspannen. Jetzt mit den Hüften isolierte, kleine Kreise nach hinten und vorn zeichnen, wie beim Wasserlaufen beschrieben. Mit etwas Übung werden geschmeidig hochliegende Achter daraus.

Blinzelndes Schambein

In Armdistanz vor die Stange (oder den Poolrand), Stange mit beiden Händen fassen, so weit es geht in die Knie gehen, den Rücken gerade nach hinten dehnen, Nacken lang machen, Scheitel nach vorn ziehen. Beckenboden so stark wie möglich anziehen, Rücken lang machen und entspannen. Jetzt aus dem Beckenboden das Schambein zum Nabel hochrollen. Halten und langsam bis dreißig zählen, entspannen, wiederholen.

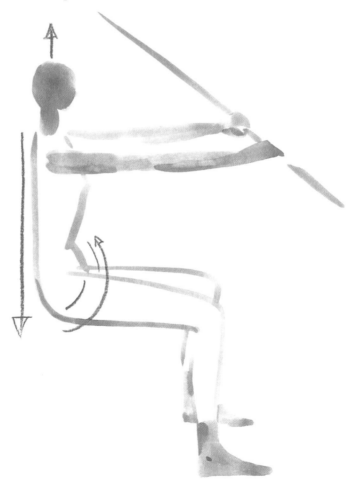

Im Bett

Auf dem Rücken liegen. Die Beine sind angewinkelt, Füße hüftweit auseinander. Beckenboden anspannen, den rechten unteren Rücken in einem Halbkreis nach hinten-unten in die Matratze drücken, das linke Becken vorne zum Nabel hochschieben, den linken Rücken nach hinten-unten, das Becken rechts vorne hochrollen, wechseln. Etwa hundertmal auf jeder Seite dürfen's schon werden, mit der Zeit wird die Bewegung geschmeidig und fließend.

So aufgeweckt, wird Ihr Beckenboden den ganzen Tag freiwillig mitarbeiten, und beim Gehen werden Sie das Gefühl haben, unsichtbare Marionettenfäden trügen Sie.

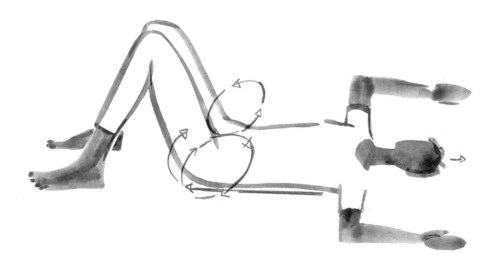

Phase 5 – Feinarbeit

Augenrollen mit dem Beckenboden

Sie haben richtig gelesen: Rollen Sie die Augen in schön großen Kreisen und spüren Sie, wie der Beckenboden der Bewegung folgt. Linksherum, rechtsherum.

Autofahren mit Beckenboden

Die Sitze der heutigen Autos sind besser als ihr Ruf. Profitieren Sie vom eingebauten Komfort, indem Sie lernen, die Möglichkeiten zu nutzen.

Drücken Sie den Po ganz tief ins Polster und an die Rücklehne. Beckenboden aktivieren. Jetzt richten Sie die Wirbelsäule an der Lehne auf, Wirbel um Wirbel, der Scheitel zieht dabei zur Decke. Sie sollten sich lang und leicht fühlen. Vielleicht müssen Sie den Sitz ein wenig anpassen. In dieser Position, aktiv entspannt, fahren Sie auch lange Strecken ohne Ermüden. Spüren Sie, wie der Beckenboden einseitig zu arbeiten beginnt, wie er sein Eigenleben führt: Beim Gasgeben und Bremsen arbeitet die rechte Hälfte mehr, beim Kuppeln tritt die linke in Aktion.

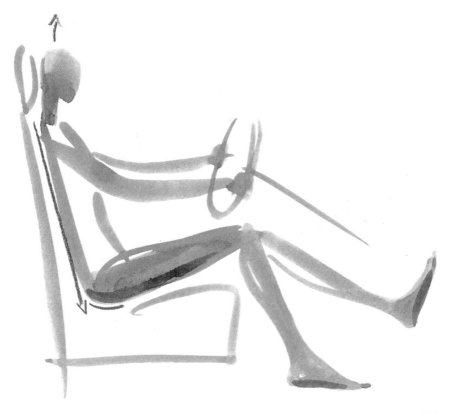

Fahrradfahren mit Beckenboden

Selbst bei langen Radtouren scheuern Sie sich viel weniger wund, wenn Sie den Beckenboden auf dem Sattel einsetzen. Treten Sie links in die Pedale, stößt der linke Beckenboden mit, fließender Wechsel zum rechten Bein. Außerdem wird Radfahren so zum Intensivtraining. Begeisterte Bikerinnen und Biker berichten, mit Einsatz des Beckenbodens hätten sie nie mehr Rückenschmerzen, auch nicht nach den strengsten Tagestouren.

Langbeinschraube

Möchten Sie spüren, was der Beckenboden für die Schönheit Ihres Beines ausrichten kann? Setzen Sie sich auf eine Matte, nehmen Sie die Ellbogen zu
Hilfe, um sich rückenschonend auf den Rücken zu legen.

Beide Beine zur Brust ziehen und zur Decke strecken. Wenn der Rücken nicht
ganz flach und entspannt in die Unterlage fließt, können Sie die Hände unter
das Gesäß schieben (Handrücken nach oben).

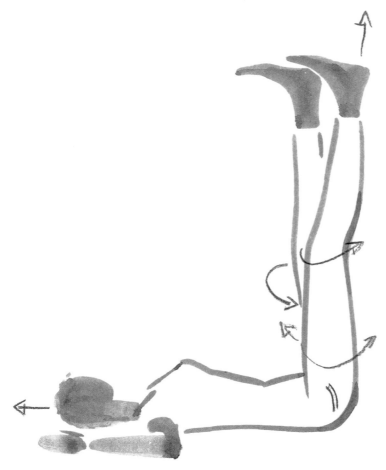

Beckenboden anspannen. Das rechte Bein an der Ferse in die Länge ziehen, indem Sie es in Ihrer Vorstellung in den Himmel schrauben. Den rechten Fuß gedehnt vor den linken schieben. Mit dem Beckenboden pulsieren, indem Sie ihn noch mehr anspannen, ganz leicht lösen, wieder anspannen. So oft wiederholen, wie Sie mögen. Solange der Beckenboden noch nicht voll aktiviert ist, bringt Ihnen die Übung noch nicht soviel. Sobald der Schatz im Schritt wieder in Übung ist, werden Sie spüren, wie er eine Kettenreaktion im Bein entfacht: Das Anziehen spannt die gesamte Beinmuskulatur mit an, wie eine Schlange geht der Zug in die Ferse und fließt zurück.

Seite wechseln: Linke Ferse dehnen, den linken Fuß vor den rechten schieben.

Therapeutischer Nebeneffekt: Sie trainieren so die Außenrotation des Beines, das hält das Hüftgelenk geschmeidig, stärkt die skelettformende Muskulatur und korrigiert ganz nebenbei Ihren Gang.

Bauchübung mit Beckenboden

Sie können alle Sport- und Gymnastikarten durch den konsequenten Einsatz des Beckenbodens intensivieren. Auch Yoga oder die fünf Tibeter profitieren davon. Vielleicht haben Sie trotzdem Lust auf eine Bauchübung aus dem NEWCALLANETICS®-Programm:

Gleiche Ausgangsposition wie bei der Langbeinschraube: Beide Beine senkrecht in der Luft, Knie sind entspannt. Den Kopf am Scheitel hochziehen und einrunden, dabei dehnt sich der Nacken. *Achtung:* Nicht mit dem Kinn voran hochkommen, das produziert ein Doppelkinn und belastet die obersten Halswirbel.

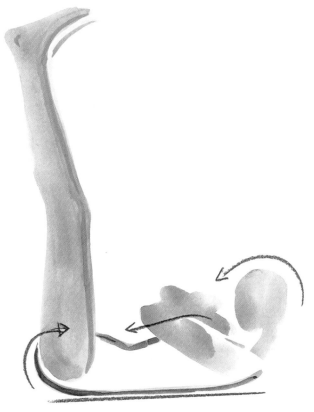

Mit den Händen die Beine unter oder über dem Knie fassen. Ellbogen zu Seite und zur Decke hochziehen. Hände loslassen, parallel zum Boden ausstrecken. Jetzt den ganzen Rippenkasten nach unten zum Schambein schieben, das Schambein zu den Rippen hochrollen. Dadurch entsteht eine intensive Kontraktion, die den Rücken schützt.

Beckenboden anspannen, so stark es geht, das Epizentrum liegt am Damm. Aus dieser Position mit der Stirn winzige Impulse in Richtung Schambein ziehen, bis zu sechzigmal, ein, zwei Millimeter sind schon genug.

Zum Steigern: Beine in Richtung Boden senken, etwa ein bis zwei Zentimeter. *Achtung: Sobald sich der Rücken hebt, sind Sie schon zu weit gegangen.*

Die Beine verschrauben, wie bei der Langbeinschraube beschrieben: Aus dem Beckenboden die Beine ganz sanft nach außen rotieren lassen.

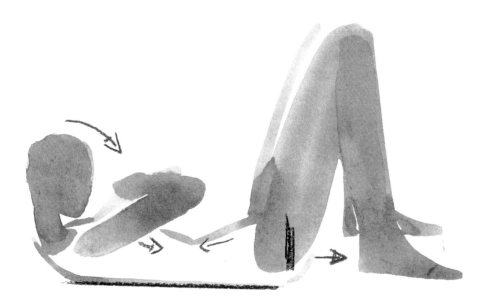

Phase 6 – Mehrwert des Alltags

Schlank gehen

Wenn Sie beim Gehen den Beckenboden einsetzen, machen Sie zugleich die Hüften schmal. In Phase vier sind Übungen vorgestellt, wie Sie das archaische Gedächtnis des Körpers aus dem Dornröschenschlaf wecken können.

Wichtig ist, daß Sie sich immer daran erinnern: Den Beckenboden anziehen, bis sich die Basis des Gesäßes leicht liftet. Das Gesäß selber, der Gluteus maximus, hat dabei nichts zu suchen und bleibt vollkommen entspannt. Frauen werden sehr bald spüren, daß die Hüften schmaler wirken, und tatsächlich bildet der Beckenboden ein stützendes Korsett für die Hüftgelenke. Die Muskulatur der Oberschenkel wird nach oben gezogen, dadurch gestrafft und gedehnt, Resultat ist die Verbesserung selbst hartnäckiger Cellulite.

Wenn Sie die Hausaufgaben mit den Füßen gemacht haben, spüren Sie, wie die Füße eine Art Gegenpol zum Beckenboden bilden und von unten die Muskeln spannen.

In der Warteschlange

Ob im Bus, an der Bahnhaltestelle, in der Warteschlange vor der Kasse des Supermarktes: Der Beckenboden schläft nie. Wenn Sie es sich zur Gewohnheit machen, mit dem Beckenboden zu spielen, wann immer sich Gelegenheit bietet, brauchen Sie keine speziellen Übungszeiten zu reservieren.

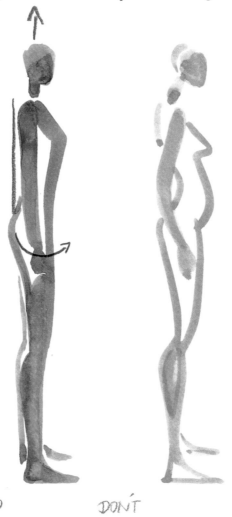

Do

DON'T

Blinzeln Sie mit dem Beckenboden, schneiden Sie Grimassen, wechseln Sie von einer Beckenbodenhälfte zur anderen, indem Sie gleichzeitig von einem Fuß auf den anderen treten. Ziehen Sie den Damm tief in den Körper hinein und nach oben, noch mehr, halten Sie die Spannung und spüren Sie den Halt, die Stabilität, die Power, die jetzt in Ihrer Körpermitte sind. Versuchen Sie, die drei Schichten isoliert einzusetzen, die äußerste, die alle Schließmuskeln dirigiert, die mittlere, die wie eine Querverstrebung in den Hüften wirkt, die innere, die Ihrem Körper den Grundtonus vermittelt, den wir an bewegungsfreudigen Kindern und jungen Athleten bewundern.

Liebesspiele

Gut trainiert wird Ihr Beckenboden selbstverständlich auch Ihr Sexualleben anreichern. Geübte »Beckenbodianer« schwärmen von mehr Ausdauer und Stehvermögen, über schnellere Erholungszeiten und mehr Feingefühl. »Beckenbodianerinnen« berichten von einer wunderbaren, zarten Macht, die sie über ihren Partner ausüben können, und über die daraus resultierenden multiplen Orgasmen. Haben Mann und Frau ihren Beckenboden bewußt unter Kontrolle, schwingt das Liebesspiel zu nie gekannten Höhen, »der Hochgenuß kommt aus der Entspanntheit und der Hingabe, die uns plötzlich ohne Krampf und ohne Anstrengung möglich ist. Es ist, als besitze der Schritt eine eigene Intelligenz, als sei er ein eigentliches Sinnesorgan, das die Emotionen aus Kopf und Herz in die richtige Sprache umsetzt«, umschrieb eine Frau ihr neues Leben und überbrachte mir im Auftrag ihres Lebensgefährten einen prachtvollen Blumenstrauß, als Dank für das spät gefundene erotische Glück.

Und jene, die ihre Inkontinenz und ihre Hämorrhoiden loswurden, haben einfach wieder Spaß an der körperlichen Liebe.

Was Sie beim Tête-à-tête mit Ihrem Beckenboden oder jenem Ihres Partners anstellen, sei Ihnen überlassen. Keine Angst, der Mann wartet auf die beckenbodenstarke Frau. Das entläßt ihn aus dem Leistungsdruck. Impotenz breitet

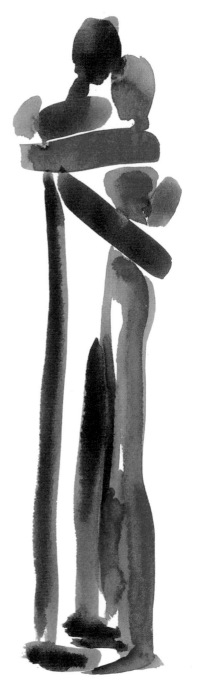

sich bei den Männern epidemisch aus. Vielleicht haben sie einfach auch genug davon, im Bett »gut« sein zu müssen. Vielleicht ist Impotenz – ob seelisch oder körperlich – des Mannes Hilfeschrei an die Frau, sie möge doch ihre Kraft zurückerobern, möge seine Körperseele entlassen aus der Gleichung »Potenz und Penetration gleich Paradies«. Die bewußte Evolution des Beckenbodens als Schritt zu sexueller Partnerschaft.

Wie war das in der Steinzeit?

Mit elf setzte bei mir die Menstruation ein. Seither wundere ich mich, wie es kommt, daß die Menschheit nicht längst ausgestorben ist: Die Höhlenbewohnerin kannte den Luxus der Flügelbinde nicht. Auch die Freuden eines zwackenden Tampons blieben ihr verwehrt. Schwämme wuchsen schon damals nicht auf Bäumen. Feigenblätter sind nicht saugfähig, ich hab's mit einem Blatt vom Gummibaum ausprobiert, damals, mit elf.

In keinem Völkerkundemuseum der Welt fand ich je den kleinsten Hinweis darauf, wie die gebärende Hälfte der Menschheit dieses elementare Alltagsproblem dazumal löste.

Säbelzahntiger, Büffel und Bär hätten doch die blutenden Frauen aus den Höhlen geholt und lustvoll gerissen. Noch heute heißt es, menstruierende Frauen seien vor Haifischen und Grizzlybären nicht sicher. Nein, es muß anders funktioniert haben und zwar so simpel und natürlich, daß wir uns das nicht mehr vorstellen können. Es muß eine Lösung ohne Slipeinlage gegeben haben.

Eines Tages kam die Idee: Könnte es sein, daß wir unser Überleben dem Beckenboden verdanken? Könnte es sein, daß wir eine Methode kannten, das Blut zurückzuhalten? Könnte es sein, daß wir diese Fähigkeit sogar für die Sicherheit der Sippe nutzten und ganz bestimmte Orte oder Bäume zur Menstruationsblutdeponie erklärten? Könnte es sein, daß Wölfe und Hyänen des Nachts um den gutgenährten Blutbaum streunten und rumbuddelten und wir derweil mit unserer Familie friedlich in der Höhle schlummerten? Rührt daher der in manchen Kulturen überlieferte Brauch, die Nachgeburt (Plazenta) an einem Baum zu vergraben oder mit ihr einen neuen Baum anzupflanzen?

Meine Forscherlust ist angestachelt. Seit Monaten versuche ich, möglichst ohne Binden und Tampons auszukommen. Siehe da, es funktioniert. Der Beckenboden hält das Blut zurück. So, wie ich spüre, wenn die Blase voll ist, spüre ich, wenn es Zeit ist, Blut zu lassen. Selbst nachts im Schlaf, kein Tröpfchen trübte bislang das weiße Laken.

Hätte ich bei der Evolutionsfee einen Wunsch frei, so möchte ich gern eine kleine Delle in der Vagina, unter dem Muttermund, da könnte sich das Blut ansammeln, und wenn das kleine Zusatzorgan voll ist, leere ich es. So einfach wäre das. Und vielleicht war es ja mal so.

Zugegeben, es gibt Situationen, in denen ich mich noch auf Alwax und Tampways verlasse, aber immer öfter gehe ich kühn ohne. Bis jetzt ohne Malheur!

Wer weiß, vielleicht haben Sie Lust, selbst ein bißchen zu experimentieren? Die Bindenhersteller werden uns deswegen schon nicht umbringen, umweltbewußt, wie sie heute zu sein haben, sähen sie doch wenigstens die Vorteile bei der Entsorgung à la nature. Auch wenn weder Sie noch ich in die Steinzeit regredieren wollen, der Beckenboden wird es uns danken.

Über die Werbung, die mir einreden möchte, es gehöre jeden Tag und jede Nacht eine Binde in mein Höschen, ärgere ich mich schon seit Jahren. Da wird der Mehrheit der Menschheit – uns Frauen – doch immer wieder eingeredet, etwas stimme mit uns nicht, wir seien nicht sauber, nicht gesund. Und was da in die Binden tropft, darf nicht einmal rot sein, sondern bitteschön blau. Anscheinend fallen viele Mädchen, Frauen, Großmütter auf den Humbug herein, denn noch nie wurden mit Slipeinlagen für alle Lebenslagen solche Umsätze erzielt!

Und was ist mit dem Männerboden?

Wie so oft im Leben hat es der Mann ein bißchen leichter: Sein Beckenboden wird weniger strapaziert, er hat auch eine Öffnung weniger, so daß sich das Dilemma zwischen Röhren- und Bodengefühl nicht einstellt.

Auch gibt es kein Schönheitsideal, das den Mann im Hohlkreuz und Hochschuh verstümmelt. Dennoch verspielen die meisten Männer ihren Geschlechtervorteil im Laufe der Jahre. Schlechte Haltung, Übergewicht, Strammstehen und Aussitzen bringen mit der Zeit auch den starken Mann aus dem Lot.

Der Beckenboden entgleitet dem Mann langsamer, auch deshalb sind Männerpos länger knackig, Männerbeine länger stramm. Hämorrhoiden und Hernien (Organe, die durch Beckenboden brechen) sind beim starken Geschlecht genauso verbreitet wie bei den Frauen.

Auf die Gesundheit und die Leistungsfähigkeit der Prostata hat ein kräftiger, stabiler Beckenboden Einfluß. Vom stabilisierenden, dehnenden Einfluß auf die Wirbelsäule ganz zu schweigen. Die sexuelle Standfestigkeit profitiert enorm, es gibt Männer, die schwören auf das Beckenbodentraining gegen Impotenz. Ausdauer und Genußfähigkeit steigern sich, und wer sich mit fernöstlichen Liebespraktiken beschäftigt, findet im Beckenboden sozusagen das fehlende Glied zur Ekstase.

Alle Übungen in diesem Buch sind auch für Männer geeignet.

Ausblick auf ein neues Schönheitsideal

Liebe Frauen, nun zu den Nebenwirkungen: Das Beckenbodentraining kann die Art, wie Sie die Welt sehen und wie die Welt Sie sieht, dramatisch verändern.

Plötzlich finden Sie sich in flachen Schuhen schöner als in hochhackigen, gefallen Sie sich in Kleidern, die Sie bislang keines Blickes würdigten, brauchen Sie ganz anders geschnittene Hosen, benötigen Sie viel weniger Zeit fürs Schminkritual, haben Sie den Mut zur Kurzhaarfrisur, mit der Sie schon so lange liebäugeln.

Ihr Gang wird sich verändern. Sie werden sich nicht mehr vor der Schwerkraft beugen. Sie werden den wiegenden Hüftschwung verlieren. Dafür werden Sie Elastizität, Anmut und Reaktionstempo gewinnen.

Sie werden Schönheit in der Stabilität entdecken, mit der Sie stehen, gehen, sitzen.

Sie werden Selbstbewußtsein gewinnen.

Sie werden spielerisch mit Ihrer neugewonnenen Kraft umgehen.

Sie werden weniger ängstlich sein, sich mehr zutrauen und nicht mehr in jedem Windhauch straucheln.

Sie werden bestimmen, wie Sie der Umwelt begegnen, wie Sie Männern begegnen. Sie werden die starke Schulter von der drückenden Last des Mythos befreien und mehr Wert auf Partnerschaft legen.

Sie werden nicht mehr so schnell in die Knie gehen.

Sie werden die Schultern nicht mehr hochziehen.

Sie haben keinen Grund mehr, den Kopf einzuziehen.

Sie werden sich nicht mehr klein machen und schon gar nicht mehr klein machen lassen.

Sie werden das Becken nicht mehr mittels Hohlkreuz aus dem Blickfeld verbannen.

Sie werden nicht mehr mit vorgerücktem Kinn zu anderen aufschauen.

Sie werden nicht mehr versuchen, die verkrüppelten Posen der an sich schönen Models in den Modemagazinen zu kopieren.

Sie werden auf der Straße jenen Frauen nachsehen, die Power und Sicherheit ausstrahlen.

Sie werden mit Ihren Freundinnen anders umgehen.

Sie werden die Energie haben, brachliegende Träume zu verwirklichen.

Das alles und noch viel mehr – weil Sie Ihre Mitte spüren. Vom Körper zum Geist ist ein kurzer Weg.

Und es ist der Anfang für ein neues Schönheitsideal. Natürlich, kraftvoll, sinnlich.

Falls Sie nicht auf Stöckelschuhe verzichten möchten: Reservieren Sie den gekünstelten Ballengang für besondere Gelegenheiten. Und vertrauen Sie darauf, daß Ihnen die Füße und der Rücken schon Signale geben, wenn sie genug haben von der Tortur. Solange der Beckenboden mitmacht, sind Sie selbst auf den Hochhackigen sicher und relativ stabil.

Ich gestehe ganz ohne Schuldgefühle: Ich motze meine 162 cm zuweilen auch ganz gern auf, es steht immer ein Paar Stilettos herum. Ich hoffe einfach, es handle sich bei mir um ein Auslaufmodell. Als ich neulich in einem schicken Schuhladen in schwarzen Lacklederpumps mit 12 cm hohen Hacken rumstelzte, kommentierte mein Patenkind Laura, dreizehn, mit überlegenem, aber liebevollem Lächeln: »Was, du trägst solche Schuhe? Willst du die kaufen? So einen schlechten Geschmack habe ich dir nicht zugetraut … !«

PS: Ich habe mich inzwischen wieder einmal professionell messen lassen, ich bin gewachsen, um 4 cm auf 166 cm! Ein neuer Paß muß her!

Ausblick auf ein neues Schönheitsideal